CHEZ LE MÊME ÉDITEUR

Collection Motivation et épanouissement personnel

La vente: Une excellente façon de s'enrichir, J. Gandolfo et R.L. Shook
Le succès d'après la méthode de Glenn Bland, Glenn Bland
Mes revenus et mon bonheur multipliés grâce à la vente, Frank Bettger
Définissez et réalisez vos objectifs, Mark Lee
L'art de se faire accepter, Joe Girard
Les secrets pour conclure la vente, Zig Ziglar
De l'échec au succès, Frank Bettger

**Collection À l'écoute du succès
(Cassettes de motivation)**

Comment contrôler votre temps et votre vie, Alan Lakein
Réfléchissez et devenez riche, Napoleon Hill
Rendez-vous au sommet, Zig Ziglar

En vente chez votre libraire ou à la maison d'édition.

*Si vous désirez recevoir le catalogue de nos parutions,
il vous suffit d'écrire à la maison d'édition
en mentionnant vos nom et adresse.*

LES DIX
PLUS GRANDS VENDEURS

Cet ouvrage a été publié sous le titre original:
TEN GREATEST SALES PERSONS
Par Harper & Row, Publishers, Inc., New York
Copyright ©, 1978 par Robert L. Shook and Roberta N. Shook
Tous droits réservés

©, Les éditions Un monde différent ltée, 1981
Pour l'édition en langue française

Dépôts légaux: 1er trimestre 1981
Bibliothèque nationale du Québec
Bibliothèque nationale du Canada

Conception graphique de la couverture:
MICHEL BÉRARD

ISBN: 2-920000-59-4

Robert L. Shook

LES DIX PLUS GRANDS VENDEURS

Les éditions Un monde différent ltée
3400, boulevard Losch, Local 8
Saint-Hubert, QC
Canada   J3Y 5T6

À Bobbie, avec amour

Remerciements

À mon éditeur, Irv Levey, qui m'a donné l'idée d'écrire ce livre et qui n'a cessé de me conseiller lors de la rédaction du manuscrit. Je remercie également Anne Forster qui m'a aidé à préparer le manuscrit, et Nancy Cone, qui a rédigé le texte. Je remercie toutes les personnes qui m'ont apporté leur collaboration: Bob Binstock, Noel Black, Jr., Joyce Darveau, Earl Dobert, Mike Frank, Tom Hingson, Dale Hvizak, Ron Karp, Patricia Lewis, William Magel, Jerry Maxwell, Sig Munster, H. Jackson Pontius, Jerry Schottenstein, Arthur Shapiro, Herb Shook, Dorothy Snow, Andrew Staursky, Geraldine Ulmer et John Woods.

L'auteur

Robert L. Shook travaille avec succès dans la vente depuis qu'il a quitté l'Ohio State University en 1959. Il est président de l'American Executive Corporation et il est l'auteur de *Winning Images* (Images de gagnants), *How to be the Complete Professionnal Salesman* (Comment être un vendeur professionnel complet) (avec Herbert M. Shook) et *Total Commitment* (Implication totale) (avec Ronald Bingamen). Il vit à Columbus, dans l'Ohio, avec sa femme et ses trois enfants.

Table des matières

Introduction

Le *vendeur* en moi me pousse à commencer ce livre par une introduction qui fera monter les ventes. Mais l'*auteur* en moi me suggère sans cesse d'être calme et de laisser la place aux dix personnes que j'ai l'intention de vous faire connaître. En laissant ces personnes parler à ma place, c'est l'organisme le plus important des États-Unis qui va défendre ma cause dans un tel cas. Il serait présomptueux de ma part d'intervenir.

En bref, voici dix des plus grands vendeurs d'Amérique, dans le même ordre qu'ils ont été interviewés pour les besoins de ce livre. Étant donné qu'il s'agit de gens très simples, mes introductions seront simples.

Tout d'abord, vous allez rencontrer un homme très dynamique du nom de *Joe Girard,* le plus grand vendeur de voitures et de camions au monde. Je parle de ventes au détail ou, comme le dit Joe, de vente face-à-face. Il est le seul vendeur dont il a été question dans *The Guinness Book of World Records* (Le livre des records mondiaux de Guinness). Au cours des onze dernières années, Joe n'a cessé de vendre plus de deux fois plus de voitures que celui qui arrivait numéro deux parmi les vendeurs d'automobiles.

Joe Gandolfo, le meilleur agent d'assurance-vie au monde, vend pour environ $800 000 000 de polices par an et ce chiffre a atteint en 1975, sa meilleure année, le milliard de dollars. C'est comme courir le mille en moins de trois minutes. Les revenus de Joe sont probablement plus élevés que ceux de tout autre vendeur aux États-Unis.

Nous avons ensuite une femme charmante, *Bernice Hansen,* qui est avec Amway depuis les débuts de cette compagnie, alors que la compagnie ne comptait que dix vendeurs. Bernice a commencé dans la distribution Amway avec son mari, Fred, décédé maintenant et cette affaire de famille se compose aujourd'hui d'environ 130 000 réseaux de distribution.

Le très beau Buck Rodgers ressemble plus à une idole de cinéma qu'à un vice-président du marketing chez IBM. Directeur mondial des ventes de la compagnie, Buck est à la tête d'une organisation comprenant plus de 70 000 employés!

Shelby Carter est vice-président senior chez Xerox, responsable des ventes aux États-Unis. Il ne fait aucun doute que Shelby est le directeur des ventes le plus agressif et le plus enthousiaste que j'aie jamais rencontré. Il n'est pas étonnant qu'avec des leaders comme lui, Xerox se soit taillé la réputation d'être l'une des meilleures organisations de marketing au monde.

Physiquement, *Rich Port* pourrait être un ancien de la NFL. Il se trouve qu'il est le fondateur et le président de l'une des plus grosses agences immobilières des États-Unis. Le réseau de Rich se compose de 375 vendeurs répartis dans vingt-cinq bureaux de la région de Chicago, deux autres devant ouvrir très bientôt.

C'est une femme charmante et très énergique, *Edna Larsen,* qui représente Avon à North St. Paul, Minnesota. Il y a environ 975 000 représentantes Avon à travers le monde et Edna est sans contredit la meilleure.

Martin Shafiroff est un homme enthousiaste qui travaille comme agent de change chez Lehman Brothers Kuhn Loeb, Inc. à New York. Il recueille environ $1,5 millions de commissions par an et il est considéré comme le meilleur dans le domaine des valeurs.

Mike Curto, à l'allure très distinguée, est vice-président chez US Steel Corporation. Il gère la division de l'acier, qui compte pour 75 pour cent des $9 milliards de ventes et revenus annuels.

Et enfin vient l'énergique *Bill Bresnan,* qui est président de la plus grosse compagnie de systèmes de télévision par câble au pays, de la division Teleprompter.

Je devrais expliquer comment ces dix personnes ont été choisies pour faire partie de *Les dix plus grands vendeurs.* Il est tout d'abord important de reconnaître que tous les dix ont commencé leur carrière dans la vente. Lorsqu'un vendeur excelle dans un certain domaine comme l'immobilier, l'assurance ou les valeurs, ses résultats ne lui garantissent pas forcément une promotion au niveau de la direction. Les récompenses arrivent souvent sous forme de commissions plus élevées et il n'est pas rare de voir un bon vendeur obtenir des revenus supérieurs à ceux des présidents et directeurs de la compagnie. D'un autre côté, dans des compagnies comme IBM, Xerox, US Steel et Teleprompter, un bon vendeur restera à l'affût des chances d'avancement au niveau de la direction, ce qui fait qu'à un certain point de sa carrière, il n'aura plus à voir des clients tous les jours pour leur vendre ses produits. Pourtant, dans d'autres industries, un excellent vendeur a le choix de rester dans la vente *ou* d'être promu à la direction; les deux offrent de très grandes opportunités. J'insiste sur ce point car *Les dix plus grands vendeurs* présente des individus qui ont réussi dans la vente dans plusieurs domaines et, dans chacun des cas, la personne a atteint les sommets de la réussite dans son domaine.

J'ai passé des heures à faire des recherches dans les plus grandes industries afin de choisir les personnes qui conviendraient le mieux à ce livre. Il faut admettre que la réputation de Joe Gandolfo dans le domaine de l'assurance l'avait déjà établi comme agent numéro un de l'assurance-vie dans le monde. Joe Girard, qui avait une réputation égale dans le domaine de l'automobile, a lui aussi, été facile à retenir. Martin Shafiroff s'est récemment classé premier agent de change du pays. D'un autre côté, il y avait, dans le pays, plusieurs individus qui essayaient d'obtenir le premier rang dans le domaine de l'immobilier. C'est Rich Port, et les exploits qu'il a réalisés au cours des vingt-cinq dernières années, que j'ai retenu. Je n'étais pas intéressé par ceux qui obtenaient des résultats spectaculaires, mais de courte durée. Le critère le plus important a été la *stabilité*.

Dans d'autres cas, j'ai retenu la compagnie la plus importante d'un certain domaine. Ainsi, dans le domaine de l'ordinateur, IBM était un choix évident; Xerox l'était dans le domaine de l'équipement pour copie et photocopie, et Teleprompter dans celui de la télévision par câble. US Steel l'a été dans le domaine de l'industrie lourde, Avon, dans celui des cosmétiques et Amway dans celui des produits ménagers et d'entretien général. Après avoir choisi la compagnie, il me restait à communiquer avec le service des relations publiques pour obtenir le nom du candidat. Cependant, lorsque j'ai appelé Avon et Amway, j'ai eu toute une liste de candidats hors pair. Une fois que j'ai eu reçu les noms des meilleurs vendeurs, j'ai étudié avec soin les qualifications de chacun avant de prendre une décision finale.

Dépendant de l'organisation de la compagnie, *Les dix plus grands vendeurs* présente des vendeurs et des directeurs de vente. Comme je l'ai déjà dit, je ne voulais inclure dans ce livre que des vendeurs extraordinaires. Mais dans certains cas, l'individu choisi ne participait plus à des activités de ventes au jour le jour; il avait été promu au niveau de la direction. Mais il est important de comprendre que c'est le fait qu'il ait été un excellent vendeur qui lui a valu cette promotion et que, bien qu'il se trouve à un plus haut niveau, la vente tient une part encore importante de ses activités.

Je ne doute pas que certains de mes lecteurs désapprouveront mon choix. Ils diront que j'aurais dû inclure une personne travaillant dans une autre industrie; si j'avais suivi un tel conseil, c'est une encyclopédie et non un livre que j'aurais fait paraître. Les limites d'espace restreignaient mon choix à dix individus, car il était plus important d'équilibrer ce livre que d'augmenter le nombre des vendeurs. Mais je défie qui que ce soit de présenter une équipe de dix individus ayant à leur actif des records comme ceux que je présente.

Les dix plus grands vendeurs n'est pas basé sur la théorie. Trop de livres ont été publiés, décrivant comment un vendeur devrait réagir face à une situation hypothétique. Beaucoup ont été écrits par des vendeurs aux idées étroites ou par des auteurs qui n'ont jamais rien vendu de leur vie - en dehors de leurs manuscrits.

En tant qu'auteur, je ne prétends pas que les idées et concepts exposés dans ces pages sont les miens. Je n'ai fait qu'enregistrer les interviews et mon travail a plus consisté en rédaction qu'en création. J'ai interrogé chacun de ces individus de façon à comprendre *pourquoi* il faisait *ce* qu'il faisait. Je pense qu'il est très important de comprendre un concept afin de pouvoir l'appliquer avec succès.

J'ai aussi essayé de détruire une fois pour toutes le mythe du *vendeur-né*. J'ai toujours pensé qu'une personne n'était pas plus née pour être vendeur que pour être dentiste, plombier ou comptable. Mes rencontres personnelles avec les dix vendeurs présentés dans ce livre soutiennent le fait qu'il s'agit là d'une compétence qu'il faut apprendre et acquérir; il y a peu de place pour la réussite basée sur des qualités supposément innées. Il est peut-être possible de naître avec un bon poing ou une voix faite pour le folk song et de développer ces atouts afin de réussir. Mais la vente n'est pas un talent; c'est une capacité. On doit l'acquérir et la maîtriser. Elle dépend de bien plus qu'un beau sourire et un don d'élocution. Les gens présentés dans ce livre ne dépendent pas des dons que Dieu leur a accordés. Ils ont réussi parce qu'ils ont travaillé fort, parce qu'ils se sont consacrés à leur travail et parce qu'ils ont vu la vente de façon très professionnelle.

En tant que vendeur/auteur, j'aimerais préciser que les vendeurs sont différents des autres. Alors qu'un joueur de football, par exemple, acceptera un entraîneur qui n'a jamais joué au football de sa vie, un vendeur rejettera un directeur des ventes qui n'a pas à son actif un dossier spectaculaire dans ce domaine. Pour ceux qui sont encore sceptiques, *Les dix plus grands vendeurs* se base sur l'expérience de vendeurs extraordinaires, qui font partie des personnes les plus admirées dans leur domaine. Je pense que ce livre est plus réaliste que les autres, non pas parce que j'en suis l'auteur, mais parce qu'il se base sur *ce que quelques bons vendeurs ont à dire sur la vente.*

Vous pouvez maintenant vous rendre compte que ce livre m'enthousiasme. Et pour cause. C'est un travail énorme que de trouver chacune des personnes requises, de voyager et de les interviewer, de retranscrire les bandes, de rédiger chacun des chapitres; mais les compensations en valaient réellement la peine. Premièrement, j'ai rencontré dix personnes dynamiques et positives. Leur enthousiasme était contagieux. En rédigeant un chapitre et avant de passer au suivant, j'en retirais l'enthousiasme qui me donnait envie de poursuivre ce projet. Et ce sentiment ne m'a jamais lâché pendant la rédaction de ce livre. Et ensuite, personnellement, j'ai énormément appris en ce qui concerne la vente. Et je dois avouer que cela a été une grande surprise! Après tout, j'ai toujours été dans la vente et je suis considéré un peu partout comme un excellent vendeur. Je mets au défi *tous* les vendeurs de ne pas tirer parti de ce livre. Il n'existe pas de vendeur assez bon pour ne pas apprendre quelque chose de ces dix meilleurs vendeurs de notre pays.

J'ai également découvert autre chose. La plupart des vendeurs n'échangent leurs idées qu'avec des individus qui travaillent dans le même domaine qu'eux. Il est rare, par exemple, qu'un agent d'assurance échange ses idées avec un vendeur d'ordinateurs, ou qu'un agent immobilier parle de vente avec un vendeur d'acier. Je suis étonné de toutes les connaissances que j'ai pu acquérir en découvrant ce que font les vendeurs travaillant dans d'autres domaines que le mien et en m'apercevant qu'il est possible d'appliquer leurs techniques et leurs concepts à ma façon de travailler. En fait, je pense que de nombreuses idées peuvent être empruntées à une autre industrie et appliquées à la vôtre après y avoir apporté quelques petites modifications. Le résultat est souvent meilleur que l'idée d'origine. Certaines personnes bornées peuvent déclarer que c'est du plagiat; je pense qu'il s'agit plutôt de débrouillardise.

Presque tous les concepts de vente de ce livre peuvent s'appliquer à votre domaine de vente. J'ai, à dessein, évité

17

toutes les informations techniques de sorte que toutes les techniques et stratégies puissent convenir à tous les lecteurs. Je vous conseille de lire chacun des chapitres avec soin sans avoir peur d'emprunter ce qui vous convient. Les personnes présentées ici ne sont pas seulement les dix plus grands vendeurs que j'aie jamais rencontrés; elles sont également des personnes chaleureuses, sincères et humbles. Et c'est avec une très grande fierté professionnelle qu'elles vous invitent à partager les concepts de vente qui les ont aidées à réussir. Et ces informations que vous acceptez de partager viennent des meilleures sources disponibles.

R.L.S.

1

Joe Girard

Automobiles

«Vous devez vous vendre vous-même.»

En 1976, pour la onzième année consécutive, Joe Girard a vendu plus de voitures et de camions au détail que n'importe qui d'autre au monde! «Toutes ces ventes étaient des ventes au détail, déclare-t-il avec emphase; une voiture à la fois. Pas de ventes en gros, pas question de flottes.» Aucun vendeur n'a encore détenu ce titre dans le domaine de l'automobile et des camions en même temps, dans la même année.

En 1973, Joe a vendu 1 425 voitures et camions; il s'agit d'un record mondial qui ne sera peut-être jamais battu. Joe est le seul vendeur dont on retrouve le nom dans le *Guinness Book of World Records*. On y lit:

Le meilleur vendeur: *Le plus grand record dans le domaine de la vente des automobiles au détail est de 1 425 véhicules, vendus en 1973 par Joe Girard à Détroit, au Michigan. Joe Girard est le Premier Vendeur d'automobiles et il détient ce titre depuis 1966. Le total de ses commissions était de $191 000 en 1975.*

En 1974, lors de l'embargo sur le pétrole, ses ventes atteignirent le chiffre de 1 376. «Cela fut une année horrible pour l'automobile; chacun invoquait la misère», dit Joe en riant. En 1975, il vendit 1 360 véhicules mais durant cette même année, Détroit instaura la semaine de cinq jours, devenant ainsi la seule grande ville des États-Unis à ne plus vendre de voitures les samedis et dimanches. En 1976, il ne vendit *que* 1 285 véhicules, ce qui n'est pas si mal si l'on tient compte du fait qu'il passait une très grande partie de son temps à donner des conférences et à travailler sur son livre *How to Sell Anything to Anybody* (comment vendre n'importe quoi à n'importe qui). Les revenus de Joe dépassèrent les $200 000 en 1976.

On a beaucoup parlé des réalisations de Joe dans divers magazines comme le *Newsweek*, le *Woman's Day*, *Successful Meetings*, *Success Unlimited* et *Penthouse*; des centaines de journaux ont fait l'éloge des records qu'il a atteints dans la vente. Joe est apparu à plusieurs reprises à la télévision, on l'a souvent entendu sur les ondes et les téléspectateurs l'ont vu dans des émissions américaines comme *To Tell The Truth*, *What's My Line* et le *Tomorrow Show*.

En 1975, l'American Academy of Achievement a remis à Girard le Golden Plate Award, récompense décernée à un groupe sélectionné d'Américains reconnus par l'Academy comme des *exemples d'accomplissement.* (Parmi les autres récipiendaires, citons John K. Jamieson, président de l'Exxon Corporation; Herman Lay, président de Pepsi-Cola Company; Art Linkletter; Willie Mays; les docteurs Werner Von Braun et Carl Sagan.)

Joe est également le président de la Girard Productions Inc., compagnie qui produit et distribue ses films de formation de vente et présente le programme de formation connu sous le nom de *Joe Girard Sales Conference*, offert partout aux États-Unis et au Canada.

Joe est né le 1er novembre 1928, dans une famille d'immigrants venant de la Sicile et qui s'était établie dans l'est de Détroit. Il quitta l'école après sa onzième année. Avant de se lancer dans la vente des voitures, il travailla dans la construction.

Joe et sa femme, June, vivent à Grosse Pointe Shores, dans la banlieue de Détroit. Ils ont un fils, Joe Jr., âgé de vingt-quatre ans, qui travaille avec son père comme assistant et une fille, Grace, âgée de vingt-deux ans, qui travaille comme assistante administrative à la Girard Productions.

Les chiffres suivants représentent la production de vente de Joe Girard au cours des onze dernières années:

Année	Nombre de voitures et camions vendus
1966	614
1967	667
1968	708
1969	764
1970	843
1971	980
1972	1 208
1973	1 425
1974	1 376
1975	1 360
1976	1 285

JOE GIRARD

Lorsqu'il s'agit de la vente de voitures et de camions au détail, Joe Girard est unique en son genre. Au cours des onze dernières années, il a vendu plus de véhicules que toute autre personne dans le monde entier. (Bien que les chiffres relatifs à 1977 ne soient pas encore disponibles, il est bon de souligner que ce vendeur exceptionnel a consacré une grande partie de son temps à des activités autres que professionnelles; il a, entre autres, donné des conférences, il s'est occupé des *Girard Productions Inc.* et il a terminé son livre *How to Sell Anything to Anybody*. En dépit de ces activités extérieures, Girard a quand même vendu plus de véhicules automobiles en 1977 que tout autre vendeur). En fait, le vendeur qui se classe au deuxième rang n'est jamais le même et les ventes de Joe représentent le double de celles du vendeur qui se classe après lui! Une telle comparaison permet de mieux juger de ses exploits. *Le total de ses ventes équivaut au double de celles du second meilleur vendeur d'automobiles dans le monde.*

Quel secret permet à Joe de vendre des voitures et des camions en si grand nombre? Que fait-il de plus que ces centaines de milliers de vendeurs du monde entier?

«Je n'ai aucun secret de plus que les autres. Joe sourit. Je me contente de vendre le meilleur produit du monde. *Je vends Joe Girard!*»

23

Ça paraît très simple lorsqu'on entend Joe déclarer: «*Vous devez vous vendre vous-même.*» Car après tout, c'est là une philosophie très simple de la vente que l'on inculque à tous les novices américains et ce, dès leur première journée. Combien de fois entendons-nous les gens dire qu'ils veulent traiter avec des personnes agréables? Alors, comment se fait-il qu'il y ait tant de vendeurs qui négligent de suivre ce conseil?

«Je m'arrange pour que tous mes clients *veuillent* négocier avec moi, déclare Joe. À partir de l'instant où j'entre chez lui, peu importe si je ne l'ai pas vu depuis cinq ans, je fais comme si je l'avais vu hier et je lui montre que j'ai vraiment plaisir à le revoir.»

«Où étiez-vous donc?», demande chaleureusement Joe au client dès qu'il entre dans la salle de montre.

«Eh bien, je n'ai pas vraiment eu besoin de voiture jusqu'à ce jour», s'excuse le client.

«Est-ce qu'il faut vraiment que vous ayez besoin d'une voiture pour arrêter me dire bonjour en passant. Je pensais que nous étions amis. Vous passez par ici tous les jours, en allant travailler, mon vieux. Venez me dire bonjour de temps en temps.» Puis Joe baisse la voix et dit: «Venez, on va aller dans mon bureau. Nous serons plus à l'aise pour parler.» Et le bras sur les épaules de son client, Joe l'entraîne vers son bureau.

«En fait la sincérité, c'est quelque chose que l'on ne peut apprendre ni des autres, ni dans les livres, explique Joe. Il faut être naturel et je vais vous dire une chose: les gens aiment ceux qui sont honnêtes. Les vendeurs doivent être honnêtes et prouver qu'ils s'intéressent à leurs clients.

«Combien de fois vous est-il arrivé d'aller dans un restaurant, par exemple, et de dire à votre femme, en sortant:

Trésor, rappelle-moi de ne plus jamais mettre les pieds ici. Vous savez ce qui fait la réputation des grands restaurants? C'est le bouche à oreille, car les gens se disent entre eux à quel point on s'est bien *occupé* d'eux à tel ou tel endroit. Les grands restaurants de ce pays ne font pas que vous servir des repas. Ils le font avec soin et attention. Ils ont des employés, dans les cuisines, qui s'assurent que les clients sortent satisfaits.

«Et lorsque je vends une voiture, mon client sort d'ici avec la même impression qu'en sortant d'un restaurant où l'on a pris soin de lui. Il est satisfait, il est content. Il pense: *Décidément, ce Girard, il s'occupe bien de moi. Cela m'a fait plaisir de transiger avec lui pour acheter ma voiture. Sans blague! C'était amusant! Et c'est la première fois qu'un vendeur m'emmène faire un tour pour me prouver les qualités de la voiture* (à Détroit, les vendeurs d'automobiles ne se donnent habituellement pas cette peine). *Je suis allé dans neuf endroits différents et c'est le seul bon vendeur que j'ai rencontré. Il ne m'a même rien demandé. Il avait une voiture neuve. Il m'a dit de la prendre et de l'essayer.*

«Vous n'avez qu'à prendre la voiture et dire au client de l'essayer, dit Joe. Vous seriez étonné de voir la surprise dans ses yeux lorsque vous insistez pour qu'il aille faire un tour. Je lui dis: *Vous n'allez quand même pas acheter quelque chose sans l'avoir essayée? Allez, prenez-la,* et je l'installe à la place du chauffeur. *Vous voulez dire que vous allez me laisser conduire la voiture? Personne ne m'a jamais fait une telle offre auparavant!* Jamais je ne laisserais quelqu'un acheter quelque chose à moins qu'il ne l'aime vraiment.

«Voulez-vous savoir ce que je vends?» Joe insiste une fois de plus. «Je vends Joe Girard: *le meilleur produit au monde!*»

25

Girard comprend les gens et non pas les voitures. Il se trouve par hasard que le produit qu'il vend sont des voitures.

«Je n'ai aucune connaissance réellement technique de l'automobile. Qu'est-ce que ça peut bien faire, ce n'est pas ça qu'ils achètent. En fait, vous leur faites peur quand vous commencez à leur donner des détails techniques, à leur parler de chevaux vapeur. Lorsqu'un client me demande des détails, je lui dis: *Écoutez, monsieur Jones, je ne connais rien aux rapports d'engrenage. Si vous voulez vraiment savoir, je pourrais faire des recherches ou demander à quelqu'un de vous expliquer tout ça. Mais moi, personnellement, je ne sais même pas comment on met de l'essence dans une voiture. Je vous le jure. C'est vrai! Tout ce que je sais, c'est que je peux vous donner le meilleur service et que je peux également vous offrir un excellent prix. Et si je peux vous donner le meilleur service et le meilleur prix, vous allez m'amener d'autres clients.*

«*C'est vrai. La connaissance d'un produit, ça me rendrait fou. Mais si vous voulez savoir vraiment, si vous insistez, je pourrais vous emmener voir quelqu'un, à l'arrière, qui sera heureux de répondre à toutes vos questions*, est ce que je réponds gaiement à mon client.

«La plupart des vendeurs ennuient mortellement leur client quand ils commencent à lui énumérer tous les détails techniques concernant la voiture. J'ai vu des vendeurs vendre une voiture et la racheter. Je les regarde et je me dis: *Il vient de vendre une voiture, mais il ne se la ferme toujours pas. Pourquoi ne se contente-t-il pas de donner un stylo à son client pour lui faire signer la commande. Qu'est-ce qu'il essaie de prouver, de toute façon? Essaie-t-il de lui prouver qu'il est brillant?*

«Il nous faut absolument tâter le pouls du client. Il faut savoir ce qui va lui plaire. Vous savez, Joe Louis était mon ami, et je pense qu'il a été le plus grand boxeur de tous les temps. Et vous savez ce que Joe avait l'habitude de faire? Il étudiait les photos de ses adversaires avant chacun de ses combats. Et tout professionnel fait la même chose.

«Un docteur commence à poser des tas de questions à son patient avant de l'opérer. Il ne se contente pas de dire: *Où avez-vous mal?* avant de l'ouvrir. C'est là le secret. Peu importe que vous vendiez des polices d'assurances, des valeurs, de l'immobilier, ou n'importe quoi d'autre. *Vous devez évaluer votre client!* Le docteur dit: *Monsieur Smith, selon votre dossier et tous les tests que nous avons faits, je pense que nous devons opérer et vous enlever la vésicule biliaire. C'est là mon diagnostic.* Et l'avocat fait la même chose. Il se renseigne sur le cas qu'il a en main avant de faire quoi que ce soit pour son client.

«Eh bien, le vendeur doit faire la même chose. Je n'ai que trop vu de vendeurs qui en viennent directement au fait et qui ne s'occupent même pas de connaître leur client. Ils n'essaient pas d'être amis. Ils disent: *De quoi avez-vous besoin?* Le client répond: *Je veux acheter une Impala deux portes.* Le vendeur lui dit: *Que désirez-vous comme option?* Le client répond: *Une radio.* Et le vendeur crie: *C'est tout?* Qui diable voudrait acheter d'un vendeur comme celui-là? Il n'a même pas demandé le nom du client. Il ne lui a même pas donné sa carte. Il ne lui a même pas offert de s'asseoir! Vous devez quand même faire preuve d'un peu de respect pour le client. Vous allez lui demander $6 000. Il va rentrer chez lui avec un emprunt sur le dos.»

Joe fait un geste de la main. «Qu'est-ce qui peut bien pousser le client à acheter une voiture d'un vendeur comme celui-ci? Il n'est resté avec lui que deux minutes!»

Joe s'arrête et hoche la tête. «C'est la même chose dans la vie. Vous voyez des garçons entourés de filles et d'autres qui restent toujours tout seuls. Si le gars n'a aucune fille autour de lui, c'est qu'il n'apprécie pas les filles. Il est incapable d'être sincère. Il veut coucher avec elle immédiatement. Il faut qu'il pense qu'il doit d'abord se vendre à cette fille. Après tout, elle doit quand même aimer un peu le gars avant de lui permettre des familiarités.

«L'amour, c'est un peu comme la vente, dit Joe en souriant. On ne dit pas à une fille, après être resté deux minutes avec elle: *Viens chérie, on s'en va.* Elle aurait tous les droits de vous gifler pour une telle attitude. C'est la même chose pour un client. Il ne donne pas de gifle mais il s'en va. Et ceci se produit tous les jours. Le vendeur se plaint ensuite aux autres en disant: *As-tu vu celui-là? Je lui ai fait un bon prix et il n'a rien acheté!* Pourquoi le client devrait-il acheter d'un pareil imbécile? Le vendeur n'est resté avec lui qu'une minute et demie. Il ne connaît même pas son nom. Il n'y a même pas eu échange de cartes d'affaires!»

À la pensée que des ventes puissent se passer de cette façon, Joe est bouleversé. «Dans notre domaine, il faut absolument essayer de connaître le client en lui posant des questions. A-t-il une voiture à échanger? Cette dernière est-elle entièrement payée? A-t-il déjà visité d'autres garages pour comparer les prix? Lui a-t-on offert une démonstration? Ce sont-là les questions qui aident à tâter le pouls du client.» Joe élève la voix: «*Apprendre à connaître l'autre...* c'est la règle du jeu! Apprendre à en savoir plus sur celui qui est en face de vous avant de commencer à parler de vente!

«Un gars va se présenter ici avec des bottes de travail recouvertes de poussière de béton et un casque.» Et Joe fait comme si le client était réellement devant lui. «Je vais lui dire:

Mmmm, vous devez travailler dans la construction. Bon, on sait qu'un individu aime qu'on lui parle de lui. Je vais essayer de faire parler mon client. Il va me dire: *Comment le savez-vous?* Et je réponds: *Eh bien, je le vois à vos vêtements, à vos bottes. Dans quel domaine êtes-vous? Dans l'acier? Dans le béton?* Voyez-vous, je m'intéresse à lui et je le laisse me parler de lui.

«Parfois, je me contente de dire: *Savez-vous, j'essaie toujours, en regardant quelqu'un, de deviner sa profession. C'est vrai. Je parie que vous êtes médecin.* Le client se sent important. *«Non, je ne suis pas médecin.» Eh bien alors, que faites-vous? «Vous ne le croirez jamais, je travaille dans un abattoir de bovins.» Je vais vous dire une chose, j'ai toujours rêvé d'aller voir comment ça se passe là-dedans. Dites-donc, George, pourriez-vous m'y emmener un jour?* Et je parle au client comme s'il était la personne la plus importante au monde en ce qui me concerne. Et alors le client s'intéresse à moi parce que je m'intéresse à lui. Il pense qu'il occupe un emploi fantastique. *Vous voulez dire que vous tuez tous ces animaux et que cela ne vous fait rien? «On s'y habitue.» Eh bien moi, je pense que je n'en serais jamais capable. J'aimerais bien aller voir comment ça fonctionne. Vraiment, ça m'intéresse. Pensez-vous que vous pourriez me faire visiter tout ça un jour?... Oui? Alors, quand puis-je venir?»*

Joe sourit. «Je choisis un moment où il n'y a pas trop de clients ici pour aller lui rendre visite. Il me présente à tous ses collègues en disant que je suis celui qui lui a vendu sa voiture. Cela me donne la chance de rencontrer d'autres gens et de vendre d'autres voitures. Et si un autre client se présente en me disant qu'il travaille dans un abattoir, je lui dis: *J'ai déjà vendu une voiture à quelqu'un qui travaille pour l'abattoir de bovins.* Voyez-vous, j'essaie toujours d'établir un rapport avec le client. Et je continue: *Il m'a fait visiter son usine et je*

29

vous jure qu'après ça, j'ai été incapable de dormir pendant deux jours. C'était quelque chose! Est-ce que c'est la même chose chez vous? «Certainement, c'est la même chose.» *Oui, mais vous, vous abattez des porcs, n'est-ce pas?* «Oui, parce qu'avec les porcs, on ne perd rien. On est même en train d'essayer de mettre au point un moyen de préserver leurs grognements!» *Hé! J'aimerais voir ça! C'est vrai, ça me ferait plaisir... Qu'est-ce que vous diriez si j'allais vous rendre visite jeudi après-midi entre treize et seize heures?... Ça serait formidable!»*

Joe planifie ses visites avec soin. «Je veux en tirer le plus grand parti possible, c'est pour cette raison que je choisis toujours les heures creuses. Je suis allé un jour dans une usine de gomme à mâcher. Vous devriez voir comment ils fabriquent ça. Je suis allé visiter une usine de bonbons, un atelier de perçage et un autre de fabrication de vis. J'ai demandé au gars: *Qu'est-ce que vous faites, toute la journée?* Il m'a répondu: «*Je fais des vis.*» *C'est vrai?* ai-je repris. *Je n'arrive pas à m'imaginer comment on peut faire des vis. Savez-vous, j'aimerais bien... Accepteriez-vous de me montrer comment on fait? Oui? C'est fantastique!»*

Joe s'appuie sur le dossier de sa chaise et s'écrie: «Vous l'obligez à se croire important et vous lui montrez qu'il ne vous est pas indifférent. Il est probable que personne ne lui a jamais demandé ce qu'il fait. Les gens lui disent: *Vous faites des vis?* Et c'est tout. Joe se penche en avant et baisse le ton. Mais là, le gars pense: *Enfin, quelqu'un qui s'intéresse à ce que je fais!* Je lui fais sentir qu'il est important. Et si vous réussissez à faire sentir cela à quelqu'un, il sortira son portefeuille en disant: *Voilà, prenez ce que vous voulez.*»

Joe montre le téléphone qui se trouve sur son bureau. «Une autre chose. Je n'accepte jamais d'appel lorsque je suis avec un client. Je préviens la téléphoniste de ne pas me déranger et de prendre tous les appels. Après tout, l'avocat ne répond pas au téléphone lorsqu'il plaide. Le chirurgien ne répond pas au téléphone pendant qu'il opère. Eh bien, je suis tout aussi important qu'eux et je ne réponds pas au téléphone. Savez-vous ce qui se produit lorsque vous répondez au téléphone? Le client a le temps de se refroidir!»

Lorsque vous jetez un coup d'oeil tout autour de vous, dans le bureau de Joe, rien ne vient distraire votre regard. «Combien de fois avez-vous vu les photos des différents modèles de voitures sur les murs?» Il rit. «C'est la meilleure façon de brouiller le client. Il va commencer par demander: *Quel est le prix de celle-ci?* ou bien, il va dire: *Hé Joe! Je ferais peut-être bien de jeter un coup d'oeil sur celle-ci.* Il n'y a rien sur mes murs qui puisse confondre ou distraire mon client. Je n'ai aucun assortiment de coloris, de revêtement intérieur ou autre. Les seules choses qui se trouvent sur mes murs sont mes plaques. Ainsi le client sait qu'il traite avec *quelqu'un.* Et je suis quelqu'un parce que je m'occupe bien des gens. C'est comme cela que je suis devenu le meilleur vendeur de voitures du monde!»

Joe explique le fonctionnement de son bureau. «J'ai deux employés. L'un d'eux est mon fils, Joey. Ils répondent au téléphone, font les démonstrations, remplissent des formulaires de crédit et s'occupent de tout le reste, ce qui me permet de me concentrer sur une seule chose: *la vente.* Tout ce que je veux, c'est vendre. C'est ce que je réussis le mieux et c'est la seule chose que je veuille faire. C'est pour cette raison que je ne suis jamais fatigué... ni moralement, ni physiquement. Joe hausse les épaules. Et de toute façon, dans mon échelle d'impôt, le salaire que je leur donne est à moitié payé par mon associé, Oncle Sam. C'est pourquoi je prétends que

31

tout bon vendeur devrait avoir quelqu'un qui s'occupe des tâches connexes à la vente.»

Joe Girard sait quoi faire lorsqu'un client se présente et les milliers de personnes qui ont déjà traiter avec lui s'attendent à toute une représentation lorsqu'elles arrivent dans son bureau. Et elles savent que Joe se soucie d'elles et de leur famille.

«La première chose que je fais lorsqu'un client entre dans mon bureau, c'est de lui remettre un macaron sur lequel se trouve une pomme et qui dit *I Like You* (Je vous aime bien). J'en donne aussi à sa femme et à ses enfants. Puis je donne aux enfants un ballon en forme de coeur qui dit: *You'll Love a Joe Girard Deal* (Vous serez heureux de traiter avec Joe Girard). Vous savez, les gens aiment ceux qui sont gentils avec leurs enfants. Puis je me mets à genoux devant les petits et je dis: *Salut! Comment t'appelles-tu? Bonjour Jimmy! Tu es un bien beau garçon.* Puis, toujours sur mes genoux, je me traîne jusqu'à mon bureau avec Jimmy, pendant que les parents nous regardent. *Jimmy, j'ai quelque chose pour toi. Attends un peu, tu vas voir de quoi il s'agit!* J'ouvre un tiroir et j'en sors une poignée de bonbons. Toujours à genoux, je me dirige vers la mère et je dis: *Toi, Jimmy, tu vas prendre celui-ci et on va donner tous les autres à maman. Et voici quelques ballons, papa. Jimmy, papa va les tenir pour toi pendant que tu manges ton bonbon. Maintenant, tu vas rester tranquille quelques minutes, parce que je dois parler à ta maman et à ton papa.* Pendant tout ce temps, je suis à genoux. Eh bien, tous ces cadeaux obligent les parents et font partie de mes outils de vente. Comment un homme peut-il dire non à un vendeur qui se met à genoux devant son fils?

«Quand je vois un client qui fouille dans ses poches en disant *Je pensais avoir des cigarettes,* je dis: *Attendez un ins-*

tant. Puis j'ouvre mes tiroirs et j'en sors une quinzaine de marques différentes. *Lesquelles fumez-vous?* S'il me répond *Des Pall Mall*, je lui dis *Voici*. J'ouvre le paquet, je lui allume sa cigarette et je lui mets le reste du paquet dans sa poche. S'il me demande combien il me doit, je lui réponds qu'il ne me doit rien. Ce que je fais? *J'en fais mon obligé!* J'achète les cigarettes en gros. Vous savez qui les paie? Moi et l'Oncle Sam!»

Joe s'arrête et ajoute: «Vous savez, j'ai même un bar dans mon bureau. Il est arrivé à plusieurs reprises que le client me dise: *Il me semble que c'est une bonne affaire, mais j'aimerais boire un verre et y repenser.* Je souris et je lui dis: *Moi aussi, ça me prends un verre avant de prendre une décision importante. Qu'est-ce que vous buvez, monsieur Brown?* Et remarquez que je ne dis jamais: *Voulez-vous boire quelque chose?* Peu importe ce que le client boit, je l'ai et je le lui sers immédiatement.

Je sors toujours deux bouteilles. La sienne et la mienne. Dans la mienne, il n'y a que de l'eau colorée. C'est la règle numéro un. Ne jamais prendre d'alcool pendant les heures de travail. Cela donne mauvaise haleine et ralentit la pensée. Cela vous rend désagréable. Et qui veut traiter avec un individu méprisable? Mais il faut trinquer avec le client. Il y en a beaucoup qui se vexent si vous refusez de boire avec eux. *Je suis content que vous l'ayez mentionné, monsieur Brown. Moi aussi, j'ai besoin d'un verre. À votre santé et à celle de votre famille!* Je trinque et je bois mon eau colorée pendant que mon client vide son verre. *Vous ne regretterez pas d'avoir traité avec moi, monsieur Brown. Il ne vous reste plus qu'à signer ce formulaire. Juste ici, monsieur Brown.* Comment voulez-vous qu'il refuse de signer après avoir pris un verre avec moi? C'est impossible!»

Joe s'occupe de son client lors de la vente, mais il ne s'arrête pas là. «Il y a une chose que je fais et que la plupart des vendeurs ne font pas. Je pense que la vente commence *après* la vente - et non pas avant! Les vendeurs ordinaires pensent *Maintenant qu'il a signé, je n'ai plus besoin de lui.* Mais pour moi, la vente est une chose sacrée. Je considère qu'un client m'appartient à *moi* et qu'il n'appartient pas au concessionnaire ou à General Motors. Le client, c'est mon affaire. Et je le lui rappelle constamment.

«Lorsqu'il revient pour l'entretien de sa voiture, je me bats pour lui obtenir le meilleur service. Vous ne pouvez pas vous imaginer tout ce que je fais pour lui! Je montre aux gens que je me soucie d'eux. Et ils s'en aperçoivent et l'apprécient. Ça ne leur fait rien de dépenser vingt-cinq ou trente dollars de plus, car ils savent que je défends leurs intérêts. Lorsque quelqu'un m'appelle pour me dire: *J'y suis allé deux fois, Joe et personne ne s'est occupé de moi*, je lui réponds: *Ça c'est votre problème, parce que je vous ai bien dit qu'en cas d'ennui, vous deviez me demander personnellement. Pouvez-vous venir demain matin à dix heures? Je m'occuperai de vous. Je vous le promets.*

«Et lorsque le client arrive, le lendemain matin, je me divise en quatre pour lui. Je cherche qui peut l'aider. Si notre service de réparations ne peut rien pour lui, je contacte ceux qui pourront réparer sa voiture. Le fabricant? Peut-être. Mais la plupart des vendeurs ne se donnent même pas la peine d'essayer. Si l'employé de l'usine ne peut rien faire, je vais plus haut. Qui est son patron? Et je lui dis: *Écoutez, chaque fois que je vous parle, je me fais dire que c'est la faute du client. Je ne le crois pas. Alors je vais appeler monsieur White et si monsieur White ne peut rien faire, c'est son patron à lui que je vais appeler.* Et s'il le faut, j'irai jusqu'à monsieur Murphy, le président de General Motors! Et on me répond:

Bien sûr, vous pouvez le faire, parce que vous vous appelez Joe Girard. Il fut un temps où mon nom ne disait rien à personne. Mais j'ai toujours eu pour principe de trouver quelle personne pouvait aider mon client, lorsque le garage ne peut effectuer la réparation. Si ce n'est pas l'usine, je vais plus loin. Je demande toujours le nom du supérieur de celui qui me parle. Et je vais toujours plus haut, jusqu'à ce que j'obtienne satisfaction. En d'autres mots, c'est ce qui s'appelle *garder son client*!

«Vous devriez voir comment certains vendeurs traitent leurs clients lorsqu'ils reviennent pour du service après vente, dit Joe. Comme je vous le dis, la vente commence *après* la vente, peu importe le domaine dans lequel vous travaillez. Si le client vous intéressait assez au moment de la vente pour que vous daigniez vous occuper de lui, il mérite que vous vous occupiez de lui après. Mais j'ai vu des vendeurs qui disaient: *Oh! Encore ce casse-pied! Il n'arrête pas de nous embêter, celui-là. Il n'y a pas moyen de s'en débarrasser!* C'est honteux. Le client a dépensé $6 000 pour une voiture; dans deux ans, il va probablement en acheter une autre. Sa femme conduit, ses deux fils aussi. Ce gars-là fait partie d'une équipe de bowling dont tous les joueurs conduisent, comme tous les employés de l'usine où il travaille. Le client peut vous envoyer d'autres clients. Et pourtant, les vendeurs refusent de lui accorder deux minutes pour savoir qui peut régler son problème. Car en fait, il suffit de deux minutes! Cependant, ils trouvent le temps de lui dire: *Ouvrez la porte qui se trouve devant vous, tournez à gauche, montez au deuxième, allez sur le toit et demandez monsieur McFinnigan.* Ils font comprendre au client qu'ils l'ont assez vu!»

Joe plisse le front. «Il faut parfois agir comme un docteur. Sa voiture ne fonctionne pas bien, mettez-vous à sa place. *Je suis désolé d'apprendre ça. Quel dommage!* Puis je me tourne vers Nick, mon bras droit et je lui dis: *Nick, emmenez monsieur Green jusqu'au garage et assurez-vous qu'on s'occupe bien de lui.* Il m'a suffi de deux minutes et pendant ce temps-là, le client pense en lui-même: *Je ne comprends pas. Ce Girard est vraiment sincère. C'est vrai qu'il s'occupe de moi!* Le client quitte les lieux en se grattant la tête: *J'ai déjà acheté six voitures et personne ne s'est jamais occupé de moi. Ce Girard est vraiment fantastique!*»

C'est l'attitude que Joe adopte vis-à-vis de ses clients qui prouve sa sincérité. «Monsieur Wilson, j'ai envie de vous avoir comme client, déclare Joe à un client difficile. Savez-vous ce que j'aimerais? J'aimerais que vous me donniez la chance de vous prouver que je peux vous offrir le meilleur service que vous n'ayez jamais eu. Et je suis certain d'une chose, c'est que mon offre est au moins aussi bonne, sinon meilleure, que n'importe quelle autre offre en ville. Et moi, j'aimerais être votre vendeur. Pourquoi ne me donnez-vous pas cette satisfaction?» Puis d'une voix plus basse: «Donnez-moi seulement votre approbation!» Et Joe place un stylo sur le bon de commande, si près du client que celui-ci peut à peine résister.

«Vous savez, il y a des vendeurs qui ont peur de demander des ventes. Pas moi. S'il le faut, je me mets à genoux et je supplie le client. Je ne suis pas orgueilleux. *Allez! Accordez-moi une vente!* dit Joe en s'agenouillant pour recréer la situation. Comment pouvez-vous dire non à un gars de quarante-huit ans qui se met à genoux devant vous? *Allez! Accordez-moi cette vente. Que voulez-vous que je fasse? Que je me mette sur le dos? D'accord, je vais le faire. Quoi encore? Allez, signez! S'il vous plaît!*»

Joe se relève et continue. «*Je vais vous dire quelque chose, monsieur Wilson. J'espère que vous allez tomber sur un citron. Je ne blague pas. J'espère sincèrement que vous allez tomber sur un citron parce que je vais vous transformer ce citron en pêche. Et là, je serai certain de vous avoir comme client jusqu'à la fin de vos jours.»*

Les clients de Joe s'en retournent toujours très satisfaits d'avoir traiter avec lui parce qu'il fait une chose que les autres vendeurs ne font pas. *Il remercie ses clients d'avoir bien voulu négocier avec lui et il leur exprime sa reconnaissance.* C'est un geste bien simple, mais la plupart des vendeurs ne se soucient guère d'exprimer leur appréciation à leur client. *Monsieur Wilson, j'aimerais que vous sachiez une chose. Je ne vous laisserai jamais tomber. Je suis vraiment content que vous ayez décidé d'acheter ici. Et croyez-moi, si jamais vous avez besoin de moi un jour, même s'il y a des gens autour de moi, je laisserai tout* tomber *pour m'occuper de* vous *et je vous parie que vous n'achèterez plus jamais de voiture ailleurs. Parce que vous allez vous rendre compte que de traiter avec moi, c'est vraiment différent!* Joe sourit. «Vous savez, j'ai entendu des gens dire: *Acheter une voiture, c'est toute une affaire et cela me fait peur. Vous ne savez plus qui croire. On me raconte tellement de choses; je ne fais plus confiance à ces vendeurs. Mais acheter une voiture avec vous, c'est vraiment différent. Vous aidez les clients.* Je l'ai entendu tellement souvent que j'ai fait imprimer sur mes cartes d'affaires: *Enjoy the thrill of a good deal* (Goûtez la satisfaction d'un bon marché). Et je n'écris pas ça pour gaspiller de l'encre. Je suis sincère.»

Le travail de Joe ne cesse pas lorsque le client sort de la salle de démonstration. «Le client n'a pas encore franchi la porte que mon fils a déjà rédigé un mot de remerciement. Un mot bien simple, disant que nous avons apprécié traiter avec lui. Et puis, regardez, dit Joe en sortant l'une de ses enveloppes. Au dos de l'enveloppe, il y a *I Like You* (Je vous aime bien). Voyez-vous, c'est toute une relation qui commence avec le client. Toute ma papeterie porte le même message, *I Like You*. Peu importe à qui je m'adresse. S'il s'agit de quelqu'un qui me demande de lui proposer un prix, la feuille porte le même message, *I Like You*. Et je joins toujours quelques cartes d'affaires qui peuvent être distribuées.»

Au moment de la livraison de la voiture, Joe accueille toujours le client avec chaleur. «C'est l'un des beaux moments de sa vie, explique Joe. Il faut lui montrer que vous êtes heureux pour lui. Que vous vous préoccupez de lui. Peu importe la couleur de la voiture. Le fait qu'il l'ait choisie et que General Motors la fabrique ainsi signifie que quelqu'un doit l'aimer. *Quelle belle voiture! Cette couleur la rend fantastique!* J'ai entendu des vendeurs qui répondaient à un client qui demandait leur avis sur une couleur: *Que voulez-vous que je vous réponde?* C'est une insulte directe. Peu importe la couleur, je dis toujours: *Elle est vraiment superbe!* ou *Eh, Nick, elle est vraiment belle,* ou bien *Savez-vous, je pense que c'est la couleur la plus chaude,* ou encore *N'est-ce pas une merveille?*

«Ce sont ces mêmes vendeurs, déclare Joe avec dégoût, qui lancent les clés à leurs clients en disant: *Elle est stationnée dehors, à côté du building.* Je suis persuadé que si vous vous occupez bien d'un client, il vous amènera d'autres clients, parce que vous faites quelque chose que personne n'a jamais fait pour lui. Et c'est logique. Personne n'a envie d'être traité avec mépris.»

Lorsqu'il livre une voiture, Joe place une vingtaine de ses cartes de visite dans le coffre à gants en disant: «Partout où vous allez, monsieur Green, j'y vais avec vous. Et n'oubliez pas. Chaque fois que vous m'envoyez un client, je vous remets vingt-cinq dollars. Dites à vos amis comment je vous ai reçu. Inscrivez votre nom au dos de la carte et dites à vos amis de se renseigner dans un endroit ou deux avant de venir me voir. N'oubliez pas...»

Joe se vante en souriant. «J'ai le plus grand réseau de vente au monde. Dès que je conclus une vente, je remets au client un paquet de cartes et je l'engage immédiatement à travailler pour moi. Je lui demande de dire: *Va voir mon ami Joe. Il s'occupera bien de toi.*»

Avec toute la sincérité qu'il communique quand il vend une voiture, Joe Girard a une technique plutôt inhabituelle. «Je ne regarde jamais un client dans les yeux lorsque je lui demande une vente, avoue-t-il. Bien sûr, on ne cesse de nous répéter qu'il faut regarder les gens dans les yeux quand on leur parle, parce que c'est ainsi qu'on prouve notre honnêteté, mais mon client s'en rend compte quand il me parle. C'est dans ma voix. Alors quand je lui dis: *Signez ici* ou bien *Donnez-moi cent cinquante dollars*, je regarde toujours ailleurs. Je ne veux pas voir son hésitation. Si je sens qu'il hésite, je brise la tension avec une parole comme: *Qu'est-ce qui se passe? Vous êtes souffrant? Allez-y. Versez-moi un acompte. Vous n'avez que cent vingt-cinq dollars? Ce n'est pas grave. Donnez-m'en cent et gardez les vingt-cinq.* Si je ne le regarde pas dans les yeux, c'est pour ne pas le voir s'il hésite!

«Autre chose... Si le gars n'a pas d'argent, je lui dis: *Ce n'est pas grave, je m'en rapporte à vous.* À quoi ça sert de discuter avec lui comme le font d'autres vendeurs? S'il arrive avec l'argent, ça me va. Sinon, tant pis. Joe hausse les épaules.

«Quant à conclure une vente continue Joe, les gens me demandent toujours comment je m'y prends. Je conclus simplement en traitant les gens avec gentillesse. C'est tout. Je traite chacun comme s'il était important. C'est tout! Je montre aux gens qu'ils font bien de négocier avec moi. *Vous ne regretterez pas d'avoir traiter avec moi!*»

Les clients de Joe ne l'oublient pas. Tous les mois, ils reçoivent une lettre. Elle leur arrive dans une enveloppe ordinaire, de format ou de couleur différents. «Pas comme ces publicités que vous jetez avant de les ouvrir, me confie Joe. Ils l'ouvrent. Ils lisent: *Je vous aime bien et Bonne année de la part de Joe Girard.*» En février, il leur souhaite une bonne journée à l'occasion du George Washington's Day. En mars, c'est la St. Patrick qu'il n'oublie pas.

«Je me représente très bien les enfants et la femme autour du mari qui rentre de travailler, dit Joe. Il embrasse sa femme et pose deux questions: *Les enfants ont-ils été gentils aujourd'hui?* et *Y a-t-il du courrier?* Et les enfants lui répondent en criant: *Oui, une carte de Joe Girard.* Et toute la famille est ravie. Ils adorent les cartes. Vous devriez entendre les commentaires que j'en reçois. Savez-vous que j'envoie plus de 13 000 cartes par mois? Et chacune dit *I Like You... Bonne fête... Joyeux Noël...* Il n'y a rien d'autre sur la carte. Rien d'autre que mon nom. Je me contente de leur dire que je les aime bien.»

Joe Girard réussit très bien à se vendre. Ses clients se souviennent de lui; en 1976, 65 pour cent de ses ventes étaient à d'anciens clients. C'est là un autre record extraordinaire! Ce que ses clients lui démontrent par là, c'est que eux aussi aiment bien Joe Girard.

2

Joe M. Gandolfo

Assurance-vie

«La vente, c'est 98% de compréhension des êtres humains et... 2% de connaissance de son produit.»

Joe Gandolfo vend plus de polices d'assurance par an que toute autre personne au monde. Ses ventes dépassent huit cent millions de dollars par an et en 1975, il a vendu pour plus d'un milliard de dollars d'assurance-vie!

Il détient la désignation CLU en tant que membre de l'American College of Life Underwriters. Il a déjà été président de la Lakeland Association of Life Underwriters; vice-président du conseil de planification des biens mobiliers à Polk County, Floride; et ancien membre du conseil de rédaction du *Leaders Magazine.* Il a reçu deux fois le trophée National Sales Masters Award. Joe est également membre de la Chambre de Commerce de Lakeland, de la fondation Saul Heubner et de la Golden Key Society. Il est membre à vie et qualifié de la Million Dollar Round Table, membre du conseil de direction de Church of the Resurrection et membre de l'American College of Life Underwriters Development Fund.

Joe a écrit trois livres: *Ideas Are a Dime a Dozen* (Des idées à dix sous la douzaine), *On to a Hundred Million* (Vers le cent millions) et *Selling is 98% Understanding Human Beings... 2% Product Knowledge* (La vente, c'est 98% de compréhension des êtres humains et 2% de connaissance du produit). Ses enregistrements de «How to Earn $100 000 a Year As a Salesman» (Comment gagner $100 000 par année comme vendeur) et «$40 000 000 of Life Insurance in Two Years» ($40 000 000 d'assurance-vie en deux ans) ont été traduits en plusieurs langues. Il a donné des conférences dans tous les états du pays, au Canada, au Mexique et dans certains pays européens; il donne environ cinquante conférences par an.

Il est également conseiller de l'American National Life Insurance Company et au cours des dernières années, il a aidé plusieurs autres petites compagnies d'assurance. Aujourd'hui, il est conseiller dans l'industrie automobile et il est fier d'avoir plus de 4 200 concessionnaires comme clients.

En 1971, Joe a été nommé l'un des jeunes hommes les plus extraordinaires des États-Unis par la Chambre de Commerce junior.

Joe est né le 13 mars 1936 à Richmond, dans le Kentucky. Il a fréquenté le Kentucky Military Institute, la Vanderbilt University, la Miami University of Ohio, et la Wharton School of Finance. Après avoir joué pendant un an dans une équipe mineure de baseball en 1958, il a enseigné au secondaire et il a été entraîneur sportif à Fort Lauderdale, en Floride. En 1960, il s'est joint à la compagnie d'assurance-vie Kennesaw, pour laquelle il a commencé à travailler à Baton Rouge, en Louisiane.

Avec sa femme Carole et leurs enfants, Mike, Diane et Donna, Joe vit à Lakeland en Floride, où il travaille comme agent d'assurance indépendant, représentant quarante-cinq compagnies d'assurance-vie.

Lui et toute sa famille adorent le tennis. Mike, Diane et Donna sont typiquement américains et Joe est président national du club Men's 35 and Over. Pendant cinq ans, il a parrainé le Gandolfo Invitational Men's 35 Event à Forest Hills, New York.

JOE M. GANDOLFO

En écoutant Joe Gandolfo, la vente semble vraiment très simple. Il prétend qu'il suffit de comprendre les gens et qu'alors, on peut leur vendre pour des centaines de millions de dollars d'assurance-vie par an. Wow! pourriez-vous penser? Gandolfo a vraiment compris beaucoup de gens en 1975, alors qu'il en a vendu pour plus d'un *milliard de dollars*. Et c'est vrai qu'il comprend probablement les gens mieux que toute autre personne sur cette terre.

Eh bien, il le fait probablement. Du moins en ce qui concerne la vente de l'assurance-vie. Après tout, les gens dans l'industrie de l'assurance admire beaucoup quelqu'un qui est capable de vendre pour des millions de dollars d'assurance-vie par an. Mais même le vendeur qui vend pour un million de dollars par année de polices devrait travailler à ce rythme-là pendant mille ans pour arriver au chiffre total de ventes de Gandolfo en 1975 seulement.

On pourrait comparer les ventes de Gandolfo à une course à pied sur une distance d'un mille que quelqu'un franchirait en moins de deux minutes, ou à une partie de baseball au cours de laquelle les joueurs auraient des centaines de coups sûrs à leur actif en une seule saison. Il est évident que tous les Thomas de la terre diront: «C'est absurde. C'est tout simplement impossible.»

En fait, on demande souvent à Joe: «Avez-vous réellement vendu pour plus d'un milliard de dollars en une seule année? Dites-moi, Joe, ne poussez-vous pas un peu quand vous dites un milliard?»

«Lorsque j'entends ce genre de commentaires, dit Joe avec son accent sudiste, je réponds que la seule chose que mon interlocuteur devrait pousser, c'est son esprit.»

Il arrive souvent à Joe de dire de telles choses mais il ne froisse pas ceux qui l'écoutent, car il est vraiment sincère. Et c'est cette sincérité qui est probablement à la base de sa confiance en lui qui frappe dès qu'on l'approche. Peu importe qu'on lui parle personnellement ou au téléphone; on sent les vibrations dans l'air. Comment tout cela a-t-il commencé? Eh bien, si l'on en croit Joe, tout a commencé par un vendeur qui croyait aux produits qu'il vendait.

«Je pense que l'on ne peut rien faire de bon, prétend Joe, à moins d'y croire à cent pour cent. Je crois à l'assurance-vie. Et voulez-vous que je vous dise quelque chose? Avant que moi-même je ne prenne une assurance d'un million de dollars sur ma propre vie, je ne pouvais pas vendre pour un million, parce que je ne savais pas que les gens pouvaient se le permettre. Puis le jour où j'ai été protégé moi-même par une telle police, et par plusieurs autres millions après celle-ci, il m'est tout d'un coup devenu plus facile de convaincre mes clients qu'ils avaient besoin d'un ou de plusieurs millions de protection.

«Il en est de même en ce qui concerne les régimes permettant les exemptions d'impôt. Une fois que moi j'ai eu commencé à participer à de tels régimes, je me suis rendu compte qu'il était beaucoup plus facile de convaincre mon interlocuteur d'en faire autant. Les gens qui avaient le même niveau de revenu que moi me demandaient toujours: *Hé, Joe! Participez-vous à ces régimes?* Et je pouvais leur dire fièrement: *Certainement.*»

Ce certainement est une réponse très puissante. Joe la donne avec conviction, sous-entendant face à son client: «Écoutez, si moi je participe, vous savez ce que j'en pense.»

En fait, Joe croit tellement en son produit qu'il *sait* que toute personne avec laquelle il a un rendez-vous va acheter une police d'assurance. La plupart des vendeurs pensent que la vente se fait au moment où le client commence à hocher la tête, à poser des questions sur les primes, ou à demander s'il lui faudra subir un examen médical. Ce sont-là les signes habituels et Joe admet que lui aussi attendait ces signes au moment où il a commencé sa carrière dans le domaine de l'assurance-vie. «Le seul signe que j'ai besoin d'avoir aujourd'hui est un rendez-vous.» Joe sourit. «Lorsque quelqu'un accepte de me rencontrer, l'affaire est dans le sac! Je sais alors qu'il est intéressé à parler d'assurance-vie et que, de toute évidence, il a besoin d'en acheter une. Après tout, s'il accepte de me voir, ce n'est pas pour parler de la pluie et du beau temps, n'est-ce pas!»

N'est-il pas alors logique que le meilleur agent d'assurance-vie du monde vende à un client éventuel, étant donné que tous ceux qui acceptent de le voir éprouvent le besoin d'acheter une police d'assurance? *C'est ce que pense Gandolfo!* Et pourtant, la majorité des agents d'assurance se présentent à un rendez-vous en craignant de ne pas vendre! Il s'agit peut-être d'un réflexe conditionné qu'ils ont développé à la suite d'échecs répétés. Comment se fait-il, alors, qu'un homme comme Joe Gandolfo puisse être si positif en ce qui a trait à la réussite?

Joe est persuadé que la réussite commence par la foi. Il est catholique et il va à la messe tous les jours. «Peu importe que vous soyez juif, mormon, protestant ou catholique, cela ne fait aucune différence. Tous les grands de ce monde que j'ai rencontrés pensent, comme moi, que la foi est absolument essentielle.»

Joe hausse les épaules. «Je ne suis pas un saint, loin de là. J'ai les mêmes tentations que tous les autres, mais je sais replacer les choses dans la perspective qui leur est propre. Dieu est ce qui est important, il est le premier et je m'arrange pour qu'Il ne l'oublie jamais. La caractéristique d'un grand athlète est la capacité qu'il a de pouvoir se concentrer. Vous ne pouvez vous concentrer sur quelque chose si vous n'êtes pas en accord avec *le Gars d'en haut*. Je peux être là, assis en face de vous et vous dire la vérité; mais si je ne suis pas en accord avec Lui, je n'aurais pas l'air de vous dire la vérité.»

Joe s'arrête brusquement. Il murmure: «Vous savez, je ne sais pas pourquoi c'est comme ça et je ne sais pas si je fais bien. Mais je vais vous dire quelque chose: les gens m'écrivent ou m'appellent et ils se plaignent de ne pas réussir à vendre des polices d'assurance. Je leur demande immédiatement quelle est leur religion. Lorsqu'ils me répondent, je leur demande s'ils sont pratiquants. Eh bien, croyez-le ou non, la plupart du temps, ils me répondent qu'ils n'ont pas le temps!»

Joe soupire. «C'est une chose que je ne comprends pas. Lorsque vous parlez à un client éventuel d'une assurance-vie et que vous pensez à la mort, comment pouvez-vous vous concentrer sur ce client et ce problème alors que tant d'autres choses occupent votre esprit? Lorsque vous ne réussissez pas à vendre, vous pensez que c'est peut-être à cause d'un certain détail technique. Vous critiquez l'assurance, le coût ou vous dites peut-être que c'est la faute de votre directeur. Mais ce ne sont pas là les raisons de l'échec de la vente. La première chose à faire est d'être en bons termes avec *l'Homme d'en haut* chacun à sa façon.

«Tous les matins, en partant de la maison, j'ai une petite conversation avec Dieu. Je lui dis: *Seigneur, je vous réserve toute la gloire, je me contenterai des commissions.* Un sourire apparaît sur le visage de Joe. Et savez-vous, ça fonctionne assez bien.»

Bien sûr, Joe ne se fie pas seulement aux prières pour obtenir des résultats. Il se lève à cinq heures tous les matins. Au début de sa carrière, il travaillait sept jours par semaine.

«Un jeune homme est venu me voir, il n'y a pas tellement longtemps, dit-il. Il voulait savoir comment il pouvait doubler ses ventes qui étaient déjà d'un demi-million. Alors, je lui ai demandé de me décrire sa journée type. Il m'a répondu: *Je me lève vers six heures et demie, sept heures du matin, je déjeune avec ma femme et mes enfants puis je conduis les enfants à l'école et j'arrive au bureau vers neuf heures moins le quart.*

«*Il est inutile de m'en dire plus,* lui ai-je dit. *Pourquoi?* m'a-t-il demandé. Je lui dis alors qu'il gaspillait la moitié de sa vie. Je lui expliquai que ce qu'il vendait, ce n'était ni sa femme ni ses enfants au moment du petit déjeûner et qu'il n'était pas payé pour les conduire à l'école. Mais que si c'était là ce qu'il voulait faire, alors je croyais qu'il était heureux de ne faire que ça. Et je lui ai dit de ne pas venir me dire qu'il voulait doubler ses ventes. Je lui ai expliqué que pour cela, il fallait faire des sacrifices et que malheureusement, la famille en souffrait.

49

«Il y a une chose qu'il faut comprendre en ce qui concerne les gens qui réussissent, insiste Joe. Les gens qui réussissent sont habituellement ceux qui se lèvent tôt. Et parce qu'ils le font, ils respectent le vendeur qui est prêt à faire la même chose. Lorsqu'un agent d'assurance demande un rendez-vous avec un homme d'affaires durant les heures de bureau et qu'il se voit refuser ce rendez-vous, c'est que l'homme d'affaires lui dit en fait: *Écoutez-moi bien, monsieur l'agent d'assurance, vous travaillez de neuf à dix-sept heures; or, c'est justement ce que je fais moi aussi; je travaille de neuf heures à dix-sept heures. C'est à ce moment-là que je gagne de l'argent et je ne vous permettrai pas de venir me distraire en parlant de la mort et en me demandant de vous aider à gagner de l'argent.*

«*Puis-je vous voir à six heures et demie ou à sept heures et demie?* C'est ça que je demande. Ce que je dis en fait, c'est: *Lorsque vous ne travaillez pas, me permettriez-vous de vous parler de vos problèmes, de sorte que vous puissiez vous concentrer sur ce que j'ai à dire. Je suis disponible vingt-quatre heures par jour. Quelles sont les heures pendant lesquelles vous ne travaillez pas? À quelle heure puis-je vous voir? Nous pourrons parler à ce moment-là.* Je vous garantis que la majorité des gens qui réussissent ne sont disponibles qu'à six heures et demie, sept heures et demie ou huit heures; à midi; ou à dix-sept, dix-huit ou dix-neuf heures le soir. Il m'est déjà arrivé de prendre trois déjeûners ou trois dîners.» Joe rit.

Joe sait que les gens qui réussissent respectent cette volonté qu'il a de les rencontrer tôt le matin et il prétend d'ailleurs que la majorité de ses ventes se concluent avant neuf heures. «Les gens que je connais qui ont réussi, assure Joe, se disent: *Ce Gandolfo travaille aussi dur que moi; par conséquent, il doit être aussi compétent dans son domaine que moi dans le mien.* Voyez-vous, tous les gens avec qui je travaille n'ont pas hérité de leur fortune. Ils ont tous travaillé très fort pour l'acquérir. On peut tous les associer à un travail forcené et ils n'aiment pas les fainéants.

«C'est en me souvenant de tout ceci que je me présente immédiatement comme un travailleur acharné lorsque je parle pour la première fois avec un client éventuel, explique Joe. Je lui dis que dans le milieu, je suis considéré comme le meilleur agent d'assurance-vie aux États-Unis. On a parlé de moi dans le *Wall Street Journal, Fortune, Forbes* et dans plusieurs autres magazines. Je leur remets ensuite ma carte d'affaires et je dis: *John, il y a environ 400 000 agents d'assurance-vie et conseillers financiers sur cette terre; par conséquent, je pense qu'il est important que vous connaissiez mes qualifications avant que nous puissions négocier ensemble. Si vous le permettez, je vais vous parler un peu de moi.*

Dans le coin supérieur gauche de la carte, vous voyez inscrit Million Dollar Round Table, *dans le soin supérieur droit, vous voyez les lettres* NQA. *Il s'agit là de deux récompenses industrielles. Le* Million Dollar Round Table *ne comprend que treize à quatorze mille membres en tout et là-dessus, il n'y en a que quatre à cinq mille qui sont membres à vie. Les lettres* NQA *signifient que plus de 90% des hommes et femmes avec qui j'ai négocié ont continué à transiger avec moi. Une fois par an, je vous appellerai ou je viendrai vous voir en personne afin de revoir votre programme. Ce qui m'intéresse, c'est une relation durable et agréable. Les lettres* CLU *qui suivent mon nom signifient Chartered Life Underwriter, synonyme de CA pour un comptable agréé, par exemple. Je donne des conférences sur l'assurance-vie partout aux États-Unis. Et je suis membre de l'église catholique St-Joseph.*

«Au début de ma carrière, je disais à mon client éventuel que j'avais l'intention de réussir à être membre de la Million

Dollar Round Table, que j'avais l'intention d'être CLU, que j'étais membre de la National Association of Life Underwriters et que j'appartenais au club du président de ma compagnie.

«Qu'est-ce que je fais? Je lui fais savoir qu'il a une bonne raison de parler d'affaires avec moi et il peut s'identifier à cette raison. *C'est le travail*! Et il respecte le travail.

«Il est évident que maintenant, ma réputation m'aide, explique Joe. Plusieurs de mes clients me présentent comme le plus grand vendeur d'assurance-vie au monde. En fait, ils sont contents de s'en vanter. Ils sont fiers de dire que c'est moi leur agent.»

Les murs du bureau de Joe sont décorés de douzaines de trophées et de plaques qu'il a reçus au cours des années. Il admet qu'ils sont exposés afin que ses clients soient au courant de ses réalisations. «Parfois, je vais même m'absenter pendant quelques minutes, ce qui leur permettra de jeter un coup d'oeil tout autour de la pièce et de bien voir tout ce qui est accroché aux murs, confesse Joe. C'est simple, je suis fier de toutes les récompenses que j'ai reçues. Après tout, si je suis le plus grand, il y a une bonne raison. Je veux que mon client sache que j'ai travaillé très fort pour en arriver là.»

Joe a également placé sur les murs de son bureau ses pensées préférées. On peut lire *Tout le monde veut aller au ciel mais personne ne veut mourir*. Ceci reflète sa philosophie qui dit que le succès a un prix. Il respecte le travail acharné et il sait que les personnes qui réussissent partagent ce respect.

Lorsque le client a fait connaissance avec Joe, ils discutent ensemble. Joe passe souvent une journée complète avec un client important et la première session peut durer plusieurs heures pendant lesquelles Joe pose des centaines de questions. «Il y a beaucoup d'agents qui passent un temps fou à faire des recherches avant de rencontrer un client. Pas moi, explique Joe. Je ne veux rien savoir, car lorsqu'on va voir un client avec des idées préconçues, on s'est déjà formé une opinion. C'est mauvais. Que penseriez-vous si vous alliez voir votre médecin et qu'il vous déclare: *Oh! tiens, voici Bob Brown. Je pense que je vais lui donner tel médicament.*

«Alors je commence à poser toutes sortes de questions. Le genre de questions que je pose ressemble à *Où êtes-vous né? Que font vos parents? Sont-ils encore en vie? Avez-vous des frères et des soeurs? Parlez-moi d'eux? Quel est votre niveau d'instruction? Où êtes-vous allé à l'école? Comment en êtes-vous venu à travailler dans le domaine de l'automobile? Dites-moi un peu comment vous avez fait pour en arriver là où vous êtes aujourd'hui.* Et je continue à lui poser des questions avec seulement un carnet et un crayon devant moi.

«À mesure que nous progressons, je commence à poser des questions un peu plus compliquées comme: *Avez-vous pris une police d'assurance sur la vie de votre femme? Que pensez-vous d'une assurance pour votre femme? Et en ce qui concerne les enfants? Sont-ils assurés? Comment espérez-vous pouvoir leur faire poursuivre leurs études? Avez-vous une option de rachat? Qu'en pensez-vous? Avez-vous une assurance-vie? Participez-vous à un programme d'épargne-retraite? Je vois que vous venez d'acheter un édifice d'un million de dollars; avez-vous une assurance-hypothèque? Pensez-vous que c'est important? Vous venez d'acheter une compagnie de quatre-vingt-dix-huit millions de dollars. Avez-vous pris une assurance sur la vie de la personne-clé de ce commerce? Est-ce que ça fait une différence pour vous que cette personne-là soit présente ou non?*

«Quelle est la formule financière que vous avez utilisée pour en arriver au montant actuel d'assurance-vie que vous avez? Et je continue ainsi, essayant de recueillir le plus grand nombre de renseignements possible sur lui.» Pendant que Joe parle, il montre une autre phrase qui se trouve sur le mur de son bureau. Elle dit: *Dieu vous a donné deux oreilles et une bouche; c'est qu'Il voulait que vous écoutiez deux fois plus que vous ne parlez.*

La session préliminaire de Joe est ce qu'il considère comme la concrétisation de sa philosophie à savoir: *La vente c'est 98% de compréhension de l'être humain... et 2% de connaissance de son produit.* «Il est impossible de réellement comprendre les gens à moins de sortir de chez soi pour les rencontrer.» Joe élève la voix alors qu'il insiste: «Poser des tas de questions et écouter, c'est encore là le meilleur moyen de comprendre les gens. Parce que, si vous êtes le seul à parler, comment voulez-vous les comprendre? Il est impossible de comprendre qui que ce soit en parlant sans cesse. Et autre chose: je m'intéresse vraiment à la personne qui se trouve en face de moi. Je veux vraiment savoir comment elle est arrivée dans le monde des affaires, je veux connaître sa façon de penser. Je veux en savoir le plus possible sur elle parce que je pense qu'il s'agit d'une personne intéressante. Et je vais vous dire autre chose. J'en ressors toujours un peu meilleur parce que j'apprends quelque chose de cette personne.

«Vous voyez, j'aime vraiment les gens. C'est une des mes caractéristiques.» Là encore, la sincérité de Joe transparaît, se mêlant bien à sa confiance en lui.

Joe croit que le plus grand problème de la plupart des vendeurs, c'est qu'ils parlent trop. «En posant des tas de questions pour ensuite me taire et écouter, je m'aperçois que je vends beaucoup plus d'assurance, dit Joe. Le client éventuel finit toujours par se vendre lui-même. En fait, je pense que c'est une bonne règle pour le vendeur de toujours compter jusqu'à cinq après que le client s'est tu avant de reprendre la parole. Trop de vendeurs bombardent le client de mots dès qu'il s'arrête pour un instant. Et ceci empêche le client de suivre le fil de ses pensées sans compter que cela peut le vexer. Vous devez vous souvenir que la voix d'un homme est la plus belle musique au monde pour lui alors, laissez-le parler lorsqu'il le veut. Il est impossible de vous intéresser vraiment à lui si vous êtes incapable d'écouter ce qu'il dit.

«Autre chose, lorsque vous parlez à un client, regardez-le toujours directement dans les yeux et ne fuyez jamais son regard. Lorsque vous écoutez, regardez sa bouche et faites des signes de tête; ne le quittez jamais des yeux. Je vous garantis qu'en agissant ainsi, vous ferez beaucoup plus de ventes qu'en fournissant des renseignements techniques sortis d'un livre ou appris à l'école.

«D'après vous, quelle sera la réaction de votre client si vous regardez sa jolie femme ou sa charmante fille, quand vous êtes chez lui? Ou si vous déjeunez au restaurant avec lui et que vous dévisagez une jolie fille à la table voisine? Vos yeux lui disent que vous êtes bien plus intéressé à regarder cette femme qu'à lui parler. Vous lui dites qu'il ne vous intéresse pas vraiment; c'est *ça* que vous lui dites.»

Un autre facteur important de la réussite de Joe vient de sa philosophie de la spécialisation. Au cours des dernières années, Joe s'est spécialisé dans la vente aux concessionnaires d'automobiles. En fait, tout au long de sa carrière, il a eu recours à des techniques semblables.

«Lorsque j'ai commencé dans le domaine de l'assurance-vie, évoque Joe, j'ai toujours approché un client en pensant que j'étais un expert dans son domaine. J'abordais un homme que je n'avais encore jamais rencontré en disant: *Je m'appelle Joe Gandolfo et je travaille pour la Kennesaw Life Insurance Company. Je ne passe pas aujourd'hui pour parler d'assurance-vie, mais plutôt pour avoir la chance de vous rencontrer la semaine prochaine afin de vous faire partager une idée qui a déjà aidé d'autres pharmaciens (professeurs, fermiers, entrepreneurs, etc.) ici, à Lakeland. Est-ce que mardi prochain, à quatorze heures, ça vous conviendrait? Ou bien aimeriez-vous quinze heures?*

«Lorsque je lui dis que j'aimerais lui faire part d'une idée qui a rendu service à bien des gens de sa profession, il se produit deux choses. La première laisse supposer que je suis spécialisé dans son domaine. La seconde, c'est qu'il va se sentir à part des autres s'il refuse d'entendre des idées qui s'appliquent à sa profession. Cela me présente immédiatement comme étant un *expert*. Je suis un spécialiste dans son domaine et il semble que pour une raison ou pour une autre, chacun pense que son problème est différent de celui des autres et c'est justement là-dessus que je mise.

«Récemment, je me suis spécialisé dans les appels aux concessionnaires d'automobiles. Je pense que le secret pour trouver un groupe particulier, c'est le fait de choisir un groupe dans lequel on se sent vraiment à l'aise et avec lequel on puisse s'identifier. On travaille ensuite dans cette ligne. Je peux très bien m'identifier aux concessionnaires de voitures car mon père en était un. En outre, ils ont des qualités que j'aime bien. Par exemple, ils prennent leurs décisions rapidement. Ils ont beaucoup d'argent. Ils travaillent dur et la plupart ont réussi tout seuls. Je pense que le facteur le plus important, c'est qu'*ils ont besoin de moi*. Personne ne peut parler leur langage ni se montrer dur lorsqu'il le faut. Ils ont besoin d'un droit de succession et d'investissement exempt d'impôt car ils bâtissent un empire et n'ont pas le temps de le défendre. Et 99 pour cent des concessionnaires que je vais voir n'ont jamais rédigé de testament, n'ont pas de fidéicommis et n'ont établi aucun droit de succession.

«Bien sûr, dit Joe, la même chose est vraie dans bien des domaines. Elle s'applique dans le cas des agriculteurs, des médecins, des vendeurs d'outils... Il se trouve que j'ai choisi les concessionnaires de voitures. Mais ça s'applique aussi aux entrepreneurs, aux travailleurs - ils sont tous dans le même bateau, ils ont besoin de quelqu'un qui puisse les aider. Moi, j'aime les concessionnaires de voitures. Ils sont honnêtes et attachants, c'est tout. Ils aiment leurs employés et ils savent apprécier quelqu'un comme moi qui ne leur fait pas perdre de temps et qui sait de quoi il parle.»

La réputation de Joe s'est répandue chez tous les concessionnaires du pays et il passe maintenant beaucoup de temps auprès d'eux comme conseiller et comme agent d'assurance. Il n'est pas rare qu'un concessionnaire Oldsmobile de Chicago l'envoie chez un concessionnaire Oldsmobile de Détroit. «L'adage qui dit que l'expert, c'est le gars d'à côté, est probablement exact, Joe admet-il. Mais ce qui est plus important, c'est que les gens n'aiment pas que le gars du coin soit au courant de toutes leurs affaires.»

Joe a toujours été persuadé qu'un agent d'assurance doit toujours créer l'image adéquate. «Par exemple, dit-il, lorsque je fixe un rendez-vous, je demande: *Puis-je vous voir mercredi à quatorze heures trente? Ou bien aimeriez-vous mieux vendredi à seize heures?* Le client ne peut s'empêcher de penser: *Ce Gandolfo, il doit être drôlement pris!* Vous remarquez aussi que je lui donne le choix entre deux rendez-vous et non pas entre un oui et un non, s'il accepte de me recevoir ou non.

«Une autre chose que je faisais toujours au début de ma carrière, ajoute Joe, c'était de donner l'impression que *j'étais très occupé*. Lorsqu'un client ne se présentait pas à un rendez-vous, j'attendais quelques minutes puis je trouvais un coin tranquille pour lire ou j'allais à la bibliothèque. Je n'allais jamais dans un endroit comme un restaurant où les gens pouvaient me voir. Je ne voulais pas qu'on puisse penser: *Il n'est pas si occupé que ça s'il trouve le temps de flâner devant une tasse de café*. Évidemment, je m'arrangeais pour tirer parti de ces moments-là, mais j'essayais surtout de ne jamais faire croire que je n'avais rien à faire.»

Joe sourit. «Bien sûr, maintenant, je n'ai plus à donner l'illusion d'être occupé. Je le suis tellement que je n'ai même plus le temps de manger ou de dormir!»

Il est intéressant de noter que le jour de l'interview de Joe avec l'auteur de ce livre, il a eu dix-sept appels téléphoniques demandant un rendez-vous pour l'achat d'assurance-vie ou des investissements exempts d'impôt. «Je n'ai pas le temps de les voir avant l'année prochaine», dit Joe en haussant les épaules.

Joe pense qu'il doit sa réussite au fait qu'il vend un *concept* plus qu'un produit spécifique. «Lorsque j'appelle un client aujourd'hui, je lui dis: *C'est Joe Gandolfo à l'appareil. Je suis dans le domaine de l'assurance-vie et des investissements exempts d'impôt. Je présume que vous payez plus de $4 000 par an en impôts personnels ou incorporés et j'aimerais vous faire part de quelques idées. Si elles s'adaptent à votre philosophie et à votre portefeuille, parfait; sinon, je n'insisterai pas. Y voyez-vous une objection quelconque?*

«Je fais la même chose lorsque j'appelle un concessionnaire. Je lui dis tout simplement: *J'aimerais vous faire part de*

*quelques idées qui ont rendu bien des services à d'autres con-
cessionnaires. J'aimerais que vous les connaissiez.* Cette
méthode s'applique très bien dans le cas des médecins, des
comptables, des agriculteurs ou autres. Dans la première, il
s'agit de philosophie; si l'idée lui plaît, tant mieux. Ce que je
lui demande ensuite, c'est s'il peut se le permettre. C'est pour
cela que je lui parle de son portefeuille.

«Même lorsque le client me répond: *Écoute, Joe, j'ai assez
d'assurances*, je lui demande avant de partir: *Puis-je vous
poser une dernière question?* Cela le rassure. Il pense que je
vais lui poser ma question et m'en aller.

*«Vous souvenez-vous, lorsque vous étudiiez en histoire, au
secondaire, que sous le président Adams, le Congrès a failli
abolir le bureau des brevets? La raison était de faire payer
moins d'impôts aux citoyens. On pensait alors qu'on avait
tout inventé. Depuis, il y a eu les fusées sur la lune, la télévision en couleur, l'équipement électronique et ainsi de suite.*

«Où voulez-vous en venir? va-t-il me demander.

*«Je veux en venir à ceci: avez-vous fermé votre bureau des
brevets?*

*«Monsieur le concessionnaire de voitures, vous pensez
peut-être que tout ceci est bizarre, mais plaçons-nous à notre
niveau. Si nous voulions ouvrir une pharmacie, ne pensez-
vous pas que le mieux serait de garnir les étagères à l'aide des
derniers médicaments, si notre but est de vendre?*

*«Vous assistez à des séminaires et à des conférences afin
d'augmenter vos connaissances. Nous avons de nouvelles
idées et de nouveaux concepts et les lois relatives à l'impôt
changent tous les ans. Tout ce que je veux, c'est vous les*

présenter. Si elles conviennent à votre philosophie et à votre portefeuille, parfait; sinon, je vous promets que je ne vous ennuierai pas. Vous ne pouvez pas refuser, n'est-ce pas?»

Joe s'appuie sur son dossier et ajoute: «Un psychologue industriel à l'emploi de la compagnie Ford Motor m'a dit un jour que de nombreuses voitures se vendent grâce à l'annonce publicitaire télévisée où l'on utilise un microphone à l'extérieur de la voiture et un autre à l'intérieur. Vous remontez les vitres et la promenade est plus silencieuse à l'intérieur, qu'à l'extérieur de la voiture. La publicité valorise le silence mais autant que je sache, il y a toujours moins de bruit dans une voiture lorsque vous remontez les vitres. Là encore, c'est un concept qui est vendu.

«Je me souviens d'un gars qui m'a dit un jour avoir acheté son assurance d'un agent particulier parce qu'on lui avait dit qu'en cas d'invalidité, la compagnie paierait les primes de sa police. Cet agent était intelligent. Il n'a pas spécifié que 1 854 autres compagnies font la même chose. il lui a simplement dit: *Nous paierons les primes.* Une fois de plus, c'est l'idée qui a fait vendre la police.

«Je me souviens avoir un jour acheté un téléviseur à cause de l'idée. Je ne voulais pas me lever du divan. Je voulais ouvrir ou fermer le poste sans bouger.

«Mon idée à moi, c'est ça: *Payez-vous plus de $4 000 par an en impôts personnels ou incorporés?* Les concessionnaires détestent payer des impôts, comme chacun de nous d'ailleurs.»

Joe s'arrête pour reprendre son souffle et ajoute: «Une autre chose sur laquelle j'insiste au téléphone, c'est de préciser au concessionnaire qu'il peut avoir à ses côtés les personnes qui peuvent l'aider à prendre une décision. S'il ne peut prendre de décision sans son comptable, qu'il l'invite à la rencontre. S'il a besoin de son avocat, parfait. Si nécessaire, qu'il leur demande à tous d'être présents. Voyez-vous, je lui enlève toute possibilité de remettre à demain sa décision finale.

«J'essaie toujours de présenter les choses de façon à ne confondre personne. Parfois, c'est difficile lorsqu'il s'agit des meilleurs moyens pour éviter de payer des impôts. Et lorsque je fais face à un groupe de personnes, l'une d'entre elles prendra la décision. Il me faut donc les observer avec soin afin de savoir à laquelle je dois accorder une plus grande attention. Parfois, c'est le comptable, parfois l'avocat. Cela peut être la personne qui prend la parole, mais des fois, c'est la personne qui écoute sans dire un mot. Mais dans ce dernier cas, tout le monde se tourne vers elle pour voir ses réactions. C'est difficile à expliquer. Je suppose que j'ai développé ce sixième sens avec l'expérience.»

Le vendeur débutant peut très bien poser la question suivante: «La philosophie de Gandolfo, à savoir... La vente, c'est 98% de compréhension de l'être humain... et 2% de connaissance de son produit... ne fait aucun sens. Il est CLU et tous ces programmes d'investissements exempts d'impôt exigent une grande connaissance.»

Gandolfo a souvent entendu cette question. «Bien sûr, vous devez savoir de quoi vous parlez. En fait, même encore aujourd'hui, je passe plusieurs heures par jour à étudier. Je me tiens au courant de tout ce qui sort. Je ne sous-estime pas du tout l'importance de la connaissance.

«Mais je maintiens encore que ce n'est pas la connaissance du produit mais *la compréhension des autres* qui fait la différence entre un vendeur ordinaire et un bon vendeur. Il y a des milliers de professeurs qui savent des tas de choses mais qui crèveraient de faim s'il leur fallait s'engager dans la vente. Il y a aussi tous ces gars brillants qui connaissent parfaitement le produit et qui sont assis derrière leurs pupitres dans les bureaux des compagnies d'assurance. Ainsi donc, bien que la connaissance du produit soit importante, il faut autre chose pour être un bon vendeur.» Joe s'appuie à son dossier et dit: «C'est comme je vous l'ai dit: *La vente, c'est 98% de compréhension de l'être humain... et 2% de connaissance de son produit.*»

3

Bernice H. Hansen

Amway

«Être un penseur positif...»

Bernice Hansen est Distributeur Direct Couronne des produits fabriqués et vendus par Amway. Elle et son mari, maintenant décédé, furent parmi les premiers distributeurs à représenter Amway lors de sa fondation en 1959. Bernice et Fred ont en fait participé à la mise sur pied d'une entreprise qui représente maintenant l'une des plus grandes organisations de ventes directes au monde. Amway compte plus de 250 000 réseaux de distribution dont les revenus ont dépassé, en 1976, les $240 millions.

En 1968, Fred Hansen décédait en laissant une organisation de ventes géante comptant plus de 60 000 réseaux de distribution Amway. Bernice, qui avait toujours travaillé en collaboration avec son mari, a ensuite assumé l'entière responsabilité du commerce. Aujourd'hui, l'entreprise familiale des Hansen compte plus de 130 000 réseaux de distribution.

En 1974, lorsque Bernice fut interviewée par le *Post* de Washington, on lui demanda combien elle gagnait par année. Elle refusa de répondre. Le *Post* disait à ce moment-là qu'elle avait 83 ans alors qu'elle n'en avait que 63. Bernice dit: «S'ils ont fait une telle erreur en parlant de mon âge, imaginez un peu l'erreur qu'ils auraient pu faire en parlant de mon revenu!» Bien que Bernice ne nous révèle pas ses revenus ici, ceux-ci sont effectivement très élevés.

Bernice a gagné pratiquement tous les honneurs décernés par Amway. Elle fait partie du conseil de direction de l'Association des Distributeurs Amway des États-Unis et en 1969, elle a fondé l'Executive Women's Council, qui s'est établi un peu partout en Amérique du Nord. L'un des plus grands moments de sa vie est peut-être cette journée de 1975, alors qu'elle s'adressait à la plus importante des conventions Amway, comptant plus de 30 000 distributeurs réunis au Capitol Center Arena de Washington. On l'appelle souvent la *première dame d'Amway.*

Bernice (née Hancock) est née le 1er août 1911 à Muskegon, au Michigan. Elle a travaillé pendant trois ans dans la comptabilité avant d'aider son mari qui vendait des maisons mobiles à Akron, dans l'Ohio.

Elle a trois filles: Mary Anne Walker; Karen Hussey qui est coordonnatrice régionale chez Amway et qui travaille au siège social à Ada, au Michigan (le mari de Karen, Jim, est directeur régional des ventes chez Amway); et Suzan Ross, dont le mari, Skip, a été distributeur Amway en Californie. En 1971, les organisations de ventes Hansen et Ross se sont associées et ont établi leur siège social à Akron, dans l'Ohio. Bernice s'est dernièrement relocalisée à Grand Rapids, au Michigan.

BERNICE H. HANSEN

Bien qu'Amway compte plus de 250 000 réseaux de distribution, Bernice Hansen fait partie des neuf personnes qui ont réussi à obtenir une *couronne*. Les distributeurs d'Amway parrainent de nouveaux distributeurs. Cette compagnie est unique et connaît une croissance absolument phénoménale. Il serait trop long d'expliquer ici la structure compliquée des ventes; nous mentionnons le programme de parrainage dans le seul but d'informer le lecteur que la famille Amway de Bernice Hansen se compose de 130 000 réseaux de distribution, qu'elle a directement ou indirectement parrainés.

«Bien sûr, Bernice s'empresse-t-elle de dire, je n'ai qu'un dixième d'un pour cent sur la plupart des ventes. Mais, ajoute-t-elle en souriant, même un dixième d'un pour cent peut représenter un montant enviable. L'an dernier, nous avons eu une augmentation de $24 millions.

«Il s'agit là de l'entreprise la plus extraordinaire au monde, dit Bernice avec enthousiasme. Nous représentons une grande famille heureuse. Nous sommes très motivés, nous pensons de façon positive et nous formons le groupe de personnes les plus orientées vers la réalisation d'un but sur cette terre.»

BERNICE H. HANSEN

Lorsque Bernice fait un tel énoncé, il n'est pas une seule personne qui connaisse les mécanismes d'Amway qui puisse nier que ce fait soit exact; mais si vous connaissez Bernice, vous vous rendez compte qu'elle se décrit elle-même en disant cela. Elle reflète la mentalité d'une compagnie dont elle vend les produits et qu'elle a appris à aimer. Amway fait partie de la vie de Bernice et afin de bien la comprendre, il faut connaître l'histoire d'Amway.

Richard DeVos et Jay Van Andel ont fondé Amway en 1959, dans le sous-sol de leurs demeures à Grand Rapids, Michigan. Avec des revenus dépassant les $240 millions pour l'année financière de 1976, cette compagnie est devenue l'entreprise américaine la plus excitante et accusant la croissance la plus rapide. Les produits qu'elle vend consistent en produits domestiques comme le savon, les détergents et autres articles de toilette. Au cours des dernières années, Amway a étendu la gamme de ses produits pour y inclure des milliers d'articles supplémentaires allant des produits agricoles aux détecteurs de fumée, en passant par un régime d'amaigrissement. Mais c'est le détergent à lessive qui se vend encore le mieux.

La philosophie de vente d'Amway se base sur la mise en marché de produits comme le dentifrice, que tout le monde utilise, qui se vendent bien et que les gens redemandent sans cesse. Mais ce qui est important, c'est que la démonstration de ces produits ne requiert aucun entraînement ni expertise technique. Chacun sait comment utiliser un savon, par exemple. «Pourquoi vendons-nous des savons, demande DeVos dans l'un de ses discours. Parce que les gens *achètent* des savons!»

Le vendeur de produits Amway n'a pas besoin de créer la demande, car il ne fait aucun doute que le client en a besoin.

Les produits ne présentent aucun problème d'installation ou d'entretien. Les prix sont très compétitifs et le distributeur Amway offre un service personnalisé en venant lui-même livrer ses produits chez son client. De plus, si le client n'est pas satisfait, Amway offre une garantie de remboursement sans condition.

Plusieurs compagnies offrent des produits de qualité comme ceux vendus par Amway mais chez Amway, on retrouve certaines caractéristiques personnelles dynamiques que les co-fondateurs Van Andel et DeVos possèdent et qu'ils ont transmises à leurs associés. Leur philosophie et leurs principes ont joué un rôle important dans l'histoire de la réussite spectaculaire d'Amway.

«Lorsque mon mari Fred et moi-même avons rencontré Jay et Rich pour la première fois, raconte Bernice, ils n'avaient que vingt-trois et vingt-quatre ans. Bien que Fred eût quarante-deux ans à l'époque, il a tout de suite accepté les qualités de leadership de ces deux hommes.

«Pour vous situer un peu mieux, Fred a travaillé comme barbier à Grand Rapids pendant neuf ans. Bien des clients lui avaient parlé des opportunités qu'offrait la vente et nous décidâmes donc de fermer le salon en 1946 et de déménager à Akron, dans l'Ohio, où nous nous lançâmes dans le commerce de maisons mobiles avec un cousin.

«Mais nous n'aimions pas ce genre de vente et à cette époque-là, il était très difficile d'obtenir un financement pour une maison mobile. En 1950, alors que nous nous trouvions à Grand Rapids à la recherche d'un prêt, j'ai rencontré par hasard Walter Bass, un ancien ami de Fred. Walt commença à me parler d'une entreprise extraordinaire dans laquelle il s'était lancé et il me demanda des nouvelles de Fred. Nous respections beaucoup l'opinion de Walt, car il avait vendu des annonces publicitaires radiophoniques pendant plus de vingt-cinq ans et il connaissait beaucoup d'hommes d'affaires; nous pensions donc qu'en matière d'opportunités dans les affaires, il était bon juge.

«Walt nous présenta à Jay et à Rich, qui vendaient alors un supplément alimentaire appelé *Nutrilite*; ils vendaient ce produit à $19,50 pour une provision d'un mois. À cette époque, l'équipe de vente se composait de dix à douze personnes, y compris un barbier, trois laitiers, un quincaillier et quelques ménagères. Après cette rencontre, Fred et moi retournâmes à Akron pour nous lancer dans cette nouvelle aventure. Je repense souvent à cette époque, aux journées que nous passions dans le sous-sol de Rich et à tous ces cafés que nous buvions lors de nos réunions.

«Et je me souviens que Rich et Jay nous présentèrent un plan nous permettant de contacter vingt personnes par jour pendant quatre-vingt-dix jours. On nous fit savoir que si nous étions prêts à respecter ce plan, nous pourrions développer un noyau de clients qui nous permettrait ensuite de bâtir notre réseau de vente, poursuit Bernice. Nous avons tout de suite reconnu leurs qualités de leadership car ils nous ont donné le plan qu'eux-mêmes suivaient avec succès. Un jour, nous réunîmes cinq couples chez nous et Rich et Walt Bass parcoururent les 325 milles qui séparaient Akron de Grand Rapids dans une vieille Packard afin de diriger la réunion. Les cinq couples se sont joints à nous.»

Les Hansen avaient envie de réussir et ils ont adopté les principes de travail de ces deux jeunes gens qui pensaient qu'il était important de diriger par l'exemple. En 1959, Van Andel et DeVos fondèrent la compagnie Amway et commencèrent à introduire sur le marché des produits domestiques au lieu de se consacrer exclusivement à la vente des produits Nutrilite. Cette petite entreprise de type familial prit vite de l'ampleur et aujourd'hui, elle a largement dépassé les limites du sous-sol de Van Andel ou de DeVos. Son siège social se trouve à Ada, au Michigan, et occupe plus d'un million de pieds carrés sur un terrain de trois cents arpents.

«Mais nous conservons cette atmosphère familiale, insiste Bernice. Peu importe l'étendue actuelle d'Amway, nous portons toujours l'emphase sur les contacts humains. En fait, nous sommes structurés de sorte que lorsqu'un distributeur atteint un certain niveau de vente, il ou elle devient Distributeur Direct et dirige un nouveau réseau de vente qui traite directement avec Amway. Tout le système est conçu de façon à encourager les gens à croître et à en être justement récompensés; et l'individu ne perd jamais son identité au sein de l'organisation.»

Pendant que Bernice raconte son histoire, on peut sentir l'affection qu'elle porte à la compagnie. «C'est comme si nous étions tous cousins, dit-elle en riant. Nous avons eu, il n'y a pas tellement longtemps, une convention au Breakers, à West Palm Beach, en Floride, à l'intention des distributeurs Diamants. Il devait y avoir cinquante ou soixante distributeurs là-bas, et au fur et à mesure que quelqu'un arrivait au bureau de l'hôtel, chacun l'accueillait par une chaleureuse accolade. Il y avait là un habitué de l'hôtel; il s'est tourné vers sa femme et je l'ai entendu dire: *On dirait que ce groupe va mettre de la vie ici pendant la fin de semaine!*

«Nous avons plusieurs réunions entre distributeurs au cours de l'année, continue Bernice, ce qui nous a permis, au fil du temps, d'apprendre à nous connaître. Entre les merveilleuses vacances que nous passons dans des endroits comme Hawaï, les Caraïbes, l'Europe, et les conventions, nous en venons à former une grande famille. C'est une expérience fantastique que de faire partie d'un tel groupe. Et malgré l'ampleur actuelle de la compagnie, Jay et Rich se sont toujours appliqués à conserver cette atmosphère qui existe depuis les tout débuts. Bien sûr, aujourd'hui, c'est différent de lorsque nous étions une poignée de gens réunis autour de la table de la cuisine pour parler de ventes devant une tasse de café. Mais nous avons néanmoins réussi à conserver cette atmosphère familiale au sein d'Amway. Et cette atmosphère ne se retrouve pas dans les autres compagnies.»

Bernice s'arrête et explique: «Il est très important de noter que la plus grande partie de nos réseaux de distribution sont dirigés par une équipe formée du mari et de l'épouse. Nous plaçons une très grande emphase sur la famille. Bien sûr, Jay et Rich sont dévoués à leur famille et ils connaissent l'influence positive que cela peut avoir sur un vendeur. De plus, nos produits sont conçus pour l'entretien domestique ou destinés au soin personnel soit, une fois de plus, adressés à la famille.»

En 1968, alors qu'il était âgé de cinquante-neuf ans, Fred Hansen a été victime d'une crise cardiaque, trois semaines après avoir passé une visite médicale pour une police d'assurance de $100 000 qui n'a jamais été émise. Il est mort cinq semaines et demie plus tard. Au cours de ces quelques semaines aux soins intensifs, se rappelle Bernice, il exprimait sa joie de savoir que sa femme et ses trois filles ne manqueraient de rien grâce à une entreprise en plein essor qui devait assurer leur prospérité.

Bien que Bernice n'eût jamais tenu de séminaire de ventes ni tenté de recruter de gens avant la mort de Fred, elle s'est retrouvée du jour au lendemain impliquée dans tous les aspects d'une entreprise qu'elle avait décidé de poursuivre. Elle devint très efficace dans le recrutement des distributeurs, car elle était persuadée que les autres familles pouvaient tirer profit d'une association avec Amway.

«Lorsque je recrute d'autres femmes, dit Bernice, j'insiste sur le bien-être extraordinaire que cette entreprise a apporté à notre famille. Vous pouvez imaginer à quel point cela peut influencer leur façon de penser, car les femmes pensent toujours en termes de sécurité. Une autre chose, c'est que je fais toujours remarquer à quel point notre entreprise est orientée vers la famille, ce qui permet à la femme de savoir ce qui se passe, car elle travaille avec son mari. Dans d'autres commerces, la femme reste dans l'ombre et je pense que cela lui laisse un sentiment d'insécurité. Avec Amway, elle comprend clairement l'entreprise et elle peut prendre la relève immédiatement si elle se retrouve veuve. En fait, j'ai repris le travail peu après les funérailles de Fred car c'est ce qu'il aurait voulu que je fasse. Après tout, il n'a pas monté toute cette affaire pour qu'elle cesse de grandir quand il ne serait plus là.

«Si vous croyez en ce que vous faites aussi fort que j'y crois, explique-t-elle, vous avez en vous tout le nécessaire pour convaincre les autres d'emprunter la même route. Lorsque je parle à une autre femme et que je lui dis qu'il s'agit de la plus belle entreprise au monde, il ne fait aucun doute qu'elle me croit sincère. Vous savez, les gens *sentent* cette confiance et c'est indispensable dans la vente si l'on veut réussir.

«Il en va de même pour la vente de nos produits. Lorsque nous avons commencé à vendre les suppléments alimentaires, nous étions persuadés qu'ils étaient bons. En fait, j'y croyais tellement que j'en prenais tous les jours et autant que je sache, Jay et Rich aussi. Bien que nous vendions un plan qui revenait à $19,50 par mois, ce qui est l'équivalent actuel de $60,00 si l'on tient compte de l'augmentation du prix des aliments, nous en vendions beaucoup *parce que nous y croyions*!

«Et c'est ce qui me facilite la vente des produits Amway, continue-t-elle. Nous avons des produits extraordinaires dont les gens ont besoin et les prix sont très compétitifs; *on est donc capable de les vendre*! La gamme des produits est tellement variée qu'il y a nécessairement plusieurs articles auxquels vous croyez; et s'il en est ainsi, il est facile d'avoir la confiance en soi nécessaire pour aller les vendre et pour transmettre l'enthousiasme au client. Et croyez-moi, l'enthousiasme est contagieux!»

Bien qu'il soit facile de comprendre pourquoi Bernice a une telle confiance en elle aujourd'hui grâce aux fruits du succès dont elle jouit avec Amway, elle s'empresse de souligner qu'il leur a fallu une attitude mentale très positive au début de leur carrière. «Fred et moi avons eu la chance de travailler sous les ailes de Rich et Jay, dit-elle. Nous croyons tout ce qu'ils nous disaient et, par conséquent, nous suivions leurs directives à la lettre. Je me souviens qu'ils nous disaient de faire vingt appels téléphoniques par jour pour obtenir trois ou quatre rendez-vous et peut-être en retirer une vente. C'est exactement ce qui se produisait.

«Au début, c'est Fred qui s'occupait de la vente pendant que je m'occupais du travail de bureau, car lorsque nous avons commencé, je devais rester à la maison avec notre bébé de neuf mois. Je me souviens de la première journée où je suis sortie pour vendre. Fred m'a conduite dans la région de Cuyahoga Falls; il travaillait d'un côté de la rue pendant que je travaillais de l'autre. J'ai frappé à la porte d'un femme très gentille qui m'invita à m'asseoir avec elle sur son perron. Son fils était un grand sportif et elle voulait lui acheter des vitamines et des sels minéraux. Je me souviens que j'étais tellement nerveuse que mon stylo m'était tombé des mains et je dus lui emprunter le sien pour rédiger ma commande. C'était ma première vente! J'étais si contente que lorsque j'ai vu Fred sortir de la maison d'en face, je lui ai crié: *Hé Fred! J'ai une commande! Et toi?* Il n'en avait pas, alors il m'a simplement dit de me calmer.

«Lorsque j'ai commencé, je m'adressais surtout à des gens qui m'étaient référés par des amis. Peu après mes débuts dans la vente, une amie qui avait été institutrice me donna les noms de trente-sept de ses amies. J'ai réussi à vendre quelque chose à chacune. Ce qui arrivait, c'est qu'à chaque fois que je ne réussissais pas à vendre à l'une d'entre elles, mon amie la rappelait et m'envoyait la voir à nouveau. Tous ces gens la respectaient et faisaient tout ce qu'elle leur demandait.

«Je ne peux pas vous dire à quel point cette expérience fut positive pour bâtir ma confiance en moi en tant que vendeuse novice.

«Je crois beaucoup aux récompenses, dit Bernice, et lorsque je sortais pour vendre, je me récompensais chaque fois que je faisais du bon travail. À cette époque-là, les femmes portaient des chapeaux; si ma journée avait été bonne, j'allais m'en acheter un. Je pensais toujours à un petit quelque chose pour m'encourager.

«Bien sûr, je pense que j'ai appris cela de Rich et Jay. Ils nous ont toujours stimulés par des bonus, des cadeaux, des récompenses, des voyages et, ce qui est probablement le plus important, par leur *reconnaissance*! Amway a toute une série de boutons qui sont remis aux distributeurs des différents niveaux. Ces étapes sont les suivantes: Rubis, Perle,

Émeraude, Diamant, Double Diamant, Triple Diamant, Couronne et Ambassadeur Couronne. (Un seul distributeur a atteint le niveau d'Ambassadeur Couronne jusqu'à ce jour, mais au cours de l'année qui vient, Bernice a de fortes chances d'y arriver.) Étant donné que nous nous tenons tous, au sein de notre groupe, la concurrence est amicale. Il en est même qui prétendent que nous travaillons plus pour les récompenses que pour l'argent», dit Bernice en riant.

On ne peut s'empêcher de remarquer l'éclat dans les yeux de Bernice lorsqu'elle nous décrit les programmes de motivation implantés par Amway. «Un bon exemple de cette motivation à travailler pour être reconnu au sein de l'organisation Amway est ce que nous avons accompli afin de nous qualifier pour un séminaire qui devait se tenir en Europe. Ce n'est pas que nous étions incapables de nous payer ce voyage nous-mêmes; la question était que nous voulions y aller avec le groupe. Et recevoir la reconnaissance qui s'y rattache! Voyez-vous, dit-elle de façon positive, Amway est une compagnie qui pense en termes de buts et elle a toujours établi des buts pour ses gens. Les boutons et les voyages sont des buts pour lesquels nous travaillons. Nous avons tous besoin d'être orientés et les buts, qu'ils soient à court ou à long terme, nous fournissent cette orientation.

«Je me souviens de nos premiers jours avec Jay et Rich, alors que Fred et moi avions décidé de devenir des représentants-clés de Nutrilite. Il nous fallait atteindre un chiffre d'affaires de $30 000 en un mois; cependant, il nous manquait $200. Après avoir envoyé notre rapport, nous avons attendu vingt jours pour savoir si oui ou non nous serions admis comme représentants. Nous avons finalement été contactés pour apprendre que vu qu'il ne nous manquait que $200 pour nous qualifier, nous serions quand même admis si Rich et Jay étaient d'accord. Nous avons appelé ces

75

derniers et leur avons demandé de bien vouloir faire une exception, étant donné que nous étions arrivés si près du chiffre demandé. Ils nous ont répondu: *Non. Ou vous atteignez le chiffre, ou vous ne l'atteignez pas.* C'est la plus belle leçon de leadership que nous ayons jamais apprise!

«Mais cela nous avait tellement découragés, Fred et moi, que nos ventes ont accusé une baisse de près des deux tiers. Nous nous sommes laissé décourager, et nos distributeurs aussi. C'est à ce moment-là que nous avons reçu un appel téléphonique de Grand Rapids qui nous apprenait que là-bas, ils acceptaient les paris pour savoir quand nous serions obligés de nous retirer des affaires. Ils nous disaient que beaucoup de personnes abandonnaient après une déception comme la nôtre et que c'était probablement ce qui nous guettait.

«Je dois admettre que cette communication nous a décidés à leur prouver que les Hansen n'étaient pas de ceux qui abandonnaient... Cela doit être mon côté irlandais. Fred et moi avons donc décidé que, s'il nous était impossible de compter sur les nôtres pour augmenter le volume de vente, il nous faudrait pousser nous-mêmes notre vente au détail pour remettre l'entreprise sur pied. Nous avons donc recommencé à avancer en montrant aux nôtres comment nous vendions et tout le groupe s'y est remis avec nous. Quelques mois plus tard, nous sommes devenus représentants-clés et Rich et Jay nous ont envoyé un télégramme disant: *Cette fois, vous y êtes* vraiment *arrivés. Félicitations.*»

Bernice prend un air sérieux pour déclarer: «La vie est pleine de désillusions, mais le secret de la réussite, c'est d'établir des buts et de tout faire ensuite pour les atteindre. Il y a tant de gens qui ne se fixent jamais de buts parce qu'ils ont peur de ne jamais y arriver et d'être déçus. Je suis persuadé que l'on apprend toujours quelque chose de nos déceptions, qu'elles nous rendent plus forts et non pas plus faibles. D'après mon expérience, je peux dire que dans 75 pour cent des cas, lorsque nous n'avons pas atteint notre but la première fois, nous y sommes arrivés la deuxième fois. Et c'est bien plus facile la deuxième fois parce que nous prenons un bon départ.»

Bernice admet qu'il lui est arrivé d'être découragée mais elle ne s'est jamais laissée abattre plus de quelques minutes chaque fois. «Je me faisais des petits discours d'encouragement, dit-elle en souriant. C'est vrai. Lorsque je prenais ma voiture, je me parlais à voix haute afin de me remonter le moral. Ce que je faisais aussi, c'est que je lisais beaucoup de livres sur la pensée positive. J'en lisais toujours un ou deux en même temps. Je les gardais dans ma voiture et lorsque j'en éprouvais le besoin, j'en sortais un et j'en lisais quelques pages jusqu'à ce que je me sente bien.

«Je suis persuadée qu'une personne négative qui étudie les livres portant sur la pensée positive finit pas devenir positive par un processus de répétition. C'est exact, en lisant ces livres et en les relisant, on finit par se conditionner à penser de façon positive. C'est réellement efficace.»

Le fait que Bernice ne se soit jamais laissée aller à penser négativement a joué un grand rôle dans sa réussite. «Il faut accepter les déceptions, explique-t-elle. Si vous vous permettez d'accepter l'échec, c'est là que *vous échouez*. Nous avons travaillé fort car nous savions qu'il fallait payer un certain prix pour la réussite et nous étions prêts à le payer. La chose peut-être la plus décevante dans cette affaire, c'est de voir quelqu'un qui vous laisse tomber après que vous ayez dépensé beaucoup d'énergie pour le parrainer. Lorsque cela se produit, il faut hausser les épaules et passer à la personne suivante.

«Je sais que lorsque je donne le meilleur de moi-même pour une personne et que cette personne échoue, continue Bernice, je me dis que c'est cette personne qui a échoué et non pas moi. C'est sa responsabilité, pas la mienne. Elle n'était tout simplement pas prête à payer le prix du succès, c'est tout.

«L'ennui avec les gens, dans le domaine de la vente, c'est qu'ils se laissent déranger par les réactions des autres. Par exemple, ils se sentent personnellement visés lorsqu'un client éventuel les rejette ou leur fait des histoires. Je ne me laisse jamais troubler par un refus. Je pense que si j'ai fait de mon mieux en présentant mes produits à un client et que ce dernier n'a rien acheté, j'ai au moins contribué à l'éducation de cet individu et je lui ai donc rendu service. Si j'ai pu lui apprendre quelque chose concernant les suppléments alimentaires (et croyez-moi, je ne suis pas une fanatique de la question), ma visite a eu une certaine valeur, *même si elle ne s'est pas terminée par une vente.* Et la même chose est vraie en ce qui a trait à nos produits domestiques.

«Je n'ai jamais eu l'impression d'échouer lorsque je n'arrive pas à obtenir une commande. Je me dis que le client n'a pas compris, c'est tout. S'il avait compris, j'aurais eu une commande. C'est aussi simple que ça!

«Comme je le disais plus tôt, trop de gens se laissent influencer par les réactions des autres. Bernice hoche la tête. «Je me souviens lorsque Fred et moi avons commencé. Tous nos amis et membres de notre famille nous disaient: *Dans quoi est-ce que vous vous lancez? Vendre des vitamines de porte à porte!* Si nous les avions écoutés, jamais nous ne nous serions lancés dans cette merveilleuse entreprise. Il y a même quelqu'un de notre famille qui avait acheté notre programme de supplément alimentaire et qui ne l'a jamais utilisé. Il pensait nous rendre service alors que nous avons eu l'impression qu'il nous faisait la charité lorsque nous nous sommes rendu compte qu'il ne l'avait même pas regardé. Et ça, c'était démoralisant! Comme je le disais, la plupart des gens se laissent décourager par les réflexions négatives des personnes non informées.»

Bernice est tellement positive que vous adoptez son attitude du fait même de vous trouver auprès d'elle. Vous comprenez très bien ce qu'elle veut dire lorsqu'elle dit: «Les seules personnes que je fréquente sont des personnes positives. Je ne veux pas me trouver en compagnie d'une personne négative. Bien sûr, il est très facile d'être négatif. Pour être positif, il faut travailler. Mais lorsque vous réfléchissez à la façon que cela peut influencer votre vie au complet, vous faites l'effort requis.

«Ma philosophie est simple. Je pense que chacun d'entre nous doit profiter de chacune des journées de sa vie et lorsqu'un chapitre se referme, il nous faut passer au suivant.»

L'association de la famille Hansen avec Amway représente bien plus qu'un chapitre de leur vie. Il s'agit d'une relation durable, remplie d'admiration, d'enthousiasme et de succès. Elle a commencé à une époque où ils n'avaient rien d'autre que la volonté de réussir. Ce couple ambitieux a déménagé de Grand Rapids en Ohio, avec trois enfants en bas âge et les parents de Bernice. Ils n'avaient alors aucune économie mais ils avaient une façon de penser positive et une chance en or à porter de la main. C'est le grand rêve américain: le mari et la femme s'attellent à la tâche ensemble pour acquérir la fortune et la sécurité en plus d'un fort sentiment d'accomplissement.

Pour Bernice Hansen, ce n'était pas seulement un rêve. Comme ils le disent chez Amway: «It's the American Way.» (C'est la façon américaine.)

4

Francis G. («Buck») Rodgers

IBM

«À la recherche de l'excellence...»

Francis («Buck») Rodgers est vice-président du marketing chez International Business Machines Corporation. Il s'est joint à la compagnie à Cleveland, dans l'Ohio, en 1950. En 1957, après avoir détenu plusieurs postes, il a été nommé vice-président d'IBM.

Buck est diplômé de l'Université de Miami (Ohio) depuis 1950 et il s'est spécialisé en marketing et gestion industrielle. Après avoir occupé divers postes dans le domaine du marketing et au siège social comme directeur de succursale, directeur régional des ventes et directeur des programmes de finance à l'industrie, il fut nommé président de la division du traitement des données IBM en 1967. En octobre 1970, il fut nommé directeur du marketing; ses tâches incluaient la responsabilité globale du marketing IBM à l'échelle internationale. Il fut élu vice-président du marketing en juin 1974.

Il est membre du conseil d'administration du Marketing Science Institute de l'Université Harvard, membre de la corporation Woodrow Wilson, directeur des ventes de l'Executive Club de New York, membre du Business Advisory Council de l'Université Miami, membre du programme Industrie coopérative/Nations unies, membre de l'Advisory Council de l'Université du Tennessee et s'occupe de plusieurs organismes civiques. C'est lui qui a dirigé les campagnes United Way d'IBM de même que ses programmes d'obligations.

Buck donne de nombreuses conférences dans les collèges et organismes d'affaires et civiques. Il estime à vingt-cinq et plus, le nombre de discours qu'il prononce chaque année en faveur du système de la libre entreprise et il soutient que les récompenses, la joie et l'éthique se retrouvent réellement dans le monde des affaires.

C'est un fanatique du jogging qui parcourt plusieurs kilomètres par jour. Il joue au golf et adore le tennis.

Lui et sa femme Helen vivent à Darien, dans le Connecticut. Ils ont trois enfants: Christy, vingt-cinq ans; Scott, vingt-quatre ans; et Kathy, vingt-trois ans.

On a déjà dit qu'IBM était la compagnie la plus importante de l'histoire. Des millions de personnes sont d'une façon ou d'une autre affectées par les nombreuses contributions faites par cette entreprise à notre société, contributions qui rejoignent tous les recoins de notre planète, sans parler de l'espace. Et de l'avis de l'auteur, les contributions qu'IBM fera à notre monde au cours des cinquante années à venir seront encore plus importantes que celles que nous connaissons en ce moment.

Les réalisations technologiques d'IBM sont absolument remarquables, mais la réussite de cette compagnie en matière de marketing est tout aussi impressionnante. Les deux progressent de front. Dans un système de libre entreprise, quelle que soit la supériorité d'un produit, ce dernier ne pourra se vendre que si la compagnie se décide à affronter le marché.

Le travail de Francis («Buck») Rodgers consiste à faire la mise en marché des produits IBM. Il est vice-président du marketing d'une compagnie qui dispose d'une équipe de vente internationale de plus de 70 000 personnes impliquées dans la vente au détail, les systèmes d'ingénierie et le soutien administratif. Buck s'occupe de mettre sur le marché tous les produits IBM, allant des bandes magnétiques aux systèmes d'ordinateurs, en passant par les machines à écrire. En 1976,

FRANCIS G. («BUCK») RODGERS

les revenus de la compagnie tirés de ventes, de locations et de l'entretien étaient de \$16,8 milliards. L'organisation des ventes dirigée par Buck a été qualifiée comme étant la meilleure au monde.

Les gens s'émerveillent devant les responsabilités énormes de Rodgers. Et beaucoup ont encore l'impression qu'il existe un certain mysticisme autour d'un ordinateur, le produit IBM le plus connu. «C'est faux, insiste Buck. Nous ne faisons qu'apporter une solution aux problèmes de nos clients. Ce n'est pas le produit que nous vendons mais plutôt ce que le produit peut faire.

«Par exemple, explique Buck, si j'entrais dans votre bureau et que je vous déclarais: *Je peux vous offrir quelque chose qui va faciliter votre travail, qui va réduire vos coûts et vous permettre d'offrir un meilleur service à votre client*, vous allez être intéressé à écouter ce que j'ai à vous dire. C'est aussi simple que ça!

«Il y a des gens qui ont peur de l'ordinateur et qui s'arrêtent à sa nature impersonnelle; mais ce qu'il faut considérer, ce sont les possibilités de cette machine. Elle peut aider à sauver des vies humaines, par exemple, dans le domaine de la médecine. Elle peut mécaniser les bibliothèques et les rendre de ce fait plus efficaces. Elle peut favoriser le processus de prises de décisions. Elle peut libérer les gens d'un travail routinier. Elle peut rendre un travail plus agréable et plus significatif. Il existe en fait un nombre incroyable de domaines dans lesquels l'ordinateur peut servir l'humanité.»

Tout en m'expliquant les différents usages de l'ordinateur, Buck se lève et marche dans tous les sens en faisant de grands gestes enthousiastes. «Nous parlons donc en termes des problèmes du client et de résolution de ces problèmes. Nous pensons qu'IBM se situe dans le domaine du traitement des données, mais cette compagnie s'ingénie surtout à donner satisfaction à ses clients. D'après moi, la base du marketing est de trouver le moyen de créer un client et de le garder!»

En entendant Buck expliquer quelque chose qui semble aussi compliqué que l'industrie de l'ordinateur en décomposant le tout en concepts de ventes très simples, ça nous apparaît beaucoup moins complexe. Et ceci est particulièrement vrai lorsqu'il aborde les principes qui influencent chacune des actions de la compagnie, depuis Tom Watson Sr qui l'a fondée en 1914.

«Afin de bien comprendre IBM, déclare Buck, vous devez comprendre les trois principes de base qui donnent la substance de tout ce que nous faisons. Le premier est de respecter l'individu. Le deuxième, c'est que nous avons décidé il y a très longtemps, de donner le meilleur service au monde. Et le troisième, c'est que nous attendons de nos employés qu'ils donnent le meilleur d'eux-mêmes. Et par là, nous entendons l'excellence.» Comme T. J. Watson Sr le disait: «Il vaut mieux viser la perfection et rater la cible que viser l'imperfection et l'atteindre.»

«Une organisation qui veut rester la meilleure doit absolument s'acquitter de toutes ses tâches de la meilleure façon qui soit. En insistant sur l'excellence, on incite le groupe à s'attaquer à l'impossible. En conséquence, il se développe, au sein de la compagnie, quelque chose que l'on pourrait appeler le *ton*. C'est un mélange d'optimisme, d'enthousiasme, d'excitation et de progression.

«T. J. Watson Jr, ancien président du conseil d'IBM, a résumé la philosophie de la compagnie de la façon suivante: *IBM est persuaduée que toute organisation qui veut survivre et réussir doit avoir un ensemble de principes sur lesquels elle base toutes ses politiques et actions. Mais, il est encore plus important de respecter ces principes que de les établir. Une organisation qui veut relever les défis d'un monde sans cesse en transformation doit être prête à tout changer sauf ses principes. Je répète. La philosophie de base, l'esprit et l'enthousiasme d'une organisation jouent un rôle bien plus grand dans la réussite que toutes les ressources technologiques et économiques, la structure de l'organisation, l'innovation et l'esprit d'opportunité.*

«Bien sûr, dit Buck, toutes ces choses sont importantes pour la réussite, mais elles ne peuvent se concrétiser que par la foi qu'ont les employés dans ce que nous faisons et que par la volonté dont ils font preuve pour s'acquitter de leurs responsabilités. Chez IBM, la foi passe avant les politiques, les pratiques et les buts. Ces derniers doivent toujours être modifiés lorsqu'ils sont en contradiction avec les principes de base de la compagnie. La seule chose sacrée d'une organisation doit demeurer la philosophie de base concernant la gestion des affaires.»

La philosophie personnelle de Buck Rodgers en ce qui a trait aux affaires est le reflet de celle d'IBM. Ceci est naturel, vu que toute sa carrière, depuis sa sortie du collège en 1950, s'est déroulée au sein de cette compagnie. Il commença à travailler dans la division des machines à écrire électriques à Cleveland; un an après, il fut muté au service de traitement des données, que l'on appelait à l'époque la *division des machines comptables électroniques*. À Cleveland, Buck se concentra sur la vente de machines comptables poinçonneuses aux manufacturiers. Plus tard, il vendit des ordinateurs. En 1956, il fut transféré à Youngstown, dans l'Ohio, afin de s'occuper du compte de la Westinghouse Electric Company à Sharon, en Pennsylvanie, où IBM a installé l'un des premiers gros ordinateurs du pays. À la suite de cette affectation, il fut transféré au siège social avec le titre d'assistant administratif du vice-président.

Après avoir détenu plusieurs postes dans le domaine du marketing, y compris celui de directeur de succursales, Buck se dirigea vers la mise en marché dans l'industrie. Pendant trois ans, il dirigea la section financière, bancaire et de courtage d'IBM, avant d'être choisi directeur des ventes de la division des traitements de données de l'Est des États-Unis. Il passa ensuite cinq ans à Los Angeles, où il dirigea les opérations de la Côte Ouest et où il fut nommé vice-président de la division des ordinateurs. En 1967, Buck fut élu président de la division du traitement des données, la division la plus importante d'IBM qui s'occupe aussi de la mise en marché et de l'entretien des systèmes d'ordinateurs de la compagnie à travers les États-Unis. Après trois ans, il fut nommé directeur du marketing à l'échelle internationale. En 1974, il fut élu vice-président d'IBM.

Le simple concept d'IBM visant le respect de l'individu occupe une part importante du temps et des efforts de la direction. IBM est fière d'offrir des opportunités continuelles d'avancement. Bien sûr, beaucoup de ces opportunités résultent de la croissance rapide de la compagnie. Même si la tentation est grande d'aller recruter le personnel à l'extérieur, sauf de rares exceptions, IBM a toujours rempli les postes importants par la promotion du personnel existant. Quelques scientifiques, avocats et autres spécialistes en chef ont été engagés, mais presque tous les autres agents exécutifs ont gravi les échelons dans la compagnie. Ce système joue un rôle important sur le bon moral des employés. Buck Rodgers est un exemple marquant de cette possibilité pour un individu, chez IBM, de commencer modestement sa carrière mais d'atteindre les postes de direction grâce à son rendement et à sa bonne volonté.

«Afin de bien comprendre le deuxième principe d'IBM dit Buck Rodgers, qui est son souci de donner le meilleur service au monde, il est important de bien comprendre l'emphase que l'on place sur la formation et le développement des individus. Nos programmes de formation s'étendent sur une période allant de quatre à dix-huit mois, selon la division. Pendant cette période, nous passons beaucoup de temps à orienter la personne sur la philosophie d'IBM. Nous insistons sur la connaissance du produit et ses spécifications, ce qui fait que l'employé(e) saura ce que le produit peut ou ne peut pas faire.

«Par exemple, dans notre division de traitement des données, lors du premier mois de formation, un(e) vendeur(se) d'ordinateurs va passer un mois d'observation dans une succursale. Cela implique faire des appels et voir en quoi consiste le marketing et IBM. À la fin de ce premier mois, l'employé rejoint un centre d'éducation. Il existe de ces centres d'éducations à travers les États-Unis, à Chicago, par exemple, à Dallas, à San Jose et à Atlanta. Nous avons aussi des centres d'éducation au siège social qui nous fournissent un soutien supplémentaire. À la suite de ce stage, l'employé passe un mois ou deux dans une succursale, où il peut vivre des situations réelles et mettre à profit les connaissances acquises. Puis, il est renvoyé au centre d'éducation où il reçoit une formation plus poussée et enfin à la succursale, où il remet en pratique ce qu'il vient d'apprendre.

«C'est donc de la pratique jointe à la théorie, insiste Buck. L'employé passe ensuite par le stage final, où il est plongé dans des situations de vente simulées. Là, il apprend comment travailler sur un territoire, à quoi s'attendre de la part d'un client et comment présenter un plan comptable approfondi. Comme vous pouvez le constater, lorsqu'une personne sort du programme de formation, elle a une connaissance complète du produit, elle sait comment mettre cette connaissance en pratique et elle a passé plusieurs semaines à faire des démonstrations devant d'autres vendeurs. Lorsque cette personne doit faire face à une situation réelle, elle ne se sent pas dépaysée.

«Une autre chose importante que nous faisons ici, chez IBM, c'est que nous spécialisons nos équipes de vente conformément à une certaine industrie. Il est difficile pour un vendeur de pénétrer dans une compagnie d'assurance, puis chez un petit fabricant pour finir dans un magasin. Nous spécialisons donc nos vendeurs par catégories d'industrie. Il y a environ quinze grandes catégories et ces dernières sont ensuite subdivisées. Nous avons, par exemple, le commerce de détail, l'assurance, la fabrication et ainsi de suite. Dans la catégorie des transports, nous avons le fret, les compagnies aériennes et les chemins de fer. Un vendeur ou une succursale peut très bien n'avoir à s'occuper que des compagnies de détail, un autre uniquement des supermarchés. Un(e) vendeur(se) peut se spécialiser dans le domaine bancaire, un(e) autre dans l'épargne et les prêts.

«La chose principale à noter, c'est que nos employés sont formés pour devenir des experts dans un domaine donné. Ils peuvent ainsi aller voir un futur client et parler son langage. Ils comprennent ses problèmes, car ils connaissent son domaine. Je le répète, ce n'est pas un produit que nous vendons mais ce que le produit peut accomplir. Comme je le disais tout à l'heure, lorsqu'un(e) vendeur(se) IBM rencontre un client, il doit offrir quelque chose sous forme d'une suggestion constructive. Nous vivons dans un monde de concurrence et il existe des tas d'autres compagnies qui peuvent fabriquer de l'équipement de qualité. Le secret réside donc dans le fait de préparer un système de façon à répondre aux besoins spécifiques d'un client. En se spécialisant dans un domaine en particulier, un vendeur peut mieux comprendre son client et ce n'est que par ses connaissances qu'il peut espérer conclure des affaires.»

Les standards élevés que la compagnie IBM a établis en matière de personnel sont inséparables de cette recherche du meilleur service possible à offrir au client. «Nous recherchons des personnes, hommes ou femmes, qui peuvent trouver des solutions, déclare Buck. En plus de bien préparer les individus au service du client, nous nous assurons que nos employés sauront se fixer des buts difficiles à atteindre. Il est important de récompenser la réussite et de pénaliser l'échec tant que l'individu en a été prévenu à l'avance. Nous croyons que les gens veulent être évalués.

«Chaque employé(e) d'IBM a un but à atteindre et il (elle) est évalué(e) tous les ans et on lui fait part des résultats de cette évaluation. Lorsqu'une personne n'est pas à la hauteur de nos normes, il est évident que nous ne pouvons la garder sur un territoire de ventes.»

Buck sourit. «Je m'aperçois que de nos jours, les gens veulent de plus en plus qu'on leur dise pourquoi et non pas comment. Ils veulent avoir un but difficile à atteindre tant que la direction s'intéresse à eux et les récompense selon leurs rendements; c'est ainsi qu'un certain esprit d'équipe se développe. C'est là, je crois, quelque chose de très positif. Avec nos employés du marketing, nous passons beaucoup de temps à définir les territoires afin de bien déterminer la bonne cible pour chaque individu. Il est très important d'être minutieux dans nos recherches sur le marketing, afin de bien planifier les quotas de vente.

«Si le volume de vente est trop facile à atteindre, le vendeur ne vit pas à la hauteur de ses attentes et on ne tire pas parti de tout son potentiel. Par conséquent, les revenus de la compagnie en souffrent. D'un autre côté, si le chiffre est trop élevé, le représentant peut donner un mauvais service à ses clients.

«Voyez-vous, nous exigeons l'excellence de la part de nos vendeur(se)s, mais cela va plus loin que les mots. Une compagnie se doit d'avoir des programmes. Il faut donner des modèles que chacun peut suivre. Par exemple, lorsque nous parlons de respect de l'individu, il faut noter que lorsque nous nous trouvons face à un surplus de personnel à la suite d'un changement dans la technologie, nous allons faire tout en notre possible afin de recycler ces personnes et leur confier des tâches intéressantes. Nous avons une politique de plein emploi et nous tâchons de toujours la respecter.

«En fait, je pense que le tout se résume à une question de communication avec nos employés. Le directeur doit rester en contact étroit avec le (la) vendeur(se) et il doit souvent s'asseoir avec lui (elle) à la fin de la journée et lui dire: *Racontez-moi un peu ce qui s'est passé aujourd'hui sur votre territoire.* Il peut aussi suggérer: *J'aimerais bien rencontrer un de vos clients avec vous demain. Peut-être pourrais-je vous être utile*!

«Afin de pouvoir établir des communications avec ses employés, ajoute Buck, la compagnie doit maintenir des relations employé-gérant réalistes. Par exemple, nous pensons qu'une compagnie devrait avoir un gérant pour dix vendeurs. Et chaque vendeur devrait ressentir que son directeur est parfaitement au courant de ses activités journalières. Chez IBM, nous avons des rencontres de cadres par lesquelles, chaque année, nous nous attendons à ce que le gérant du niveau supérieur à celui de l'individu concerné s'asseoie avec lui pour faire une mise au point de son rendement. Nous avons également un *programme-ressources des cadres* qui demande aux gérants de tous les niveaux d'identifier les vendeurs hors pair. En outre, lorsqu'une personne est promue, le gérant qui prend l'initiative de cette promotion doit déterminer les niveaux futurs de responsabilités. De plus, il y a toujours au moins trois ou quatre candidats pris en considération lorsqu'un poste est ouvert. Ce système de sélection est basé bien plus sur le rendement que sur les relations prestigieuses. C'est un processus très concurrentiel, mais il fonctionne car nous avons d'excellents employés.»

Si l'on fait une analyse approfondie de la réussite d'IBM dans le domaine du marketing, il en ressort que le travail d'équipe de toute la compagnie est requis afin de fournir le meilleur service possible au client. Bien sûr, cela débute en ayant des personnes qualifiées qui oeuvrent au sein de l'organisation, une nécessité si l'on veut un produit de qualité comme résultat final. Mais tout aussi important que la qualité du produit est le service au client après la vente.

«Si l'on va droit au but, déclare Buck, cela signifie qu'il faut comprendre la différence entre la vente et la mise en marché. La vente est un art de persuasion qui vous permet d'utiliser vos talents individuels pour convaincre quelqu'un d'acheter le produit ou le service que vous offrez. La mise en marché, cependant, est un terme beaucoup plus vaste qui sous-entend la compréhension des affaires du client et la capacité de trouver une solution à ses problèmes qui lui permettrait d'augmenter sa rentabilité. Il vous faut constamment rechercher des produits qui répondent de mieux en mieux à ses besoins, ce qui lui permettra à son tour de mieux servir ses clients. Bien sûr, tout ce que vous faites pour lui doit être justifié au niveau des coûts et il doit obtenir un retour réaliste sur son investissement. En d'autres mots, vous lui donnez une certaine valeur et le résultat final sera un client satisfait. Et évidemment, lorsque vous avez un client satisfait, la compagnie en retire de plus gros revenus et une plus grande croissance.

«Lorsque nous parlons de marketing, nous parlons en termes d'utilisation de toutes les ressources disponibles dans une entreprise. Je considère, par exemple, que notre organisation technique est orientée vers le marketing car elle essaie sans cesse de trouver des caractéristiques uniques ou des petites différences au niveau du produit lui-même. Je considère également que nos employés de production font partie de cet effort global visant à la mise en marché de nos produits car ils essaient sans cesse d'augmenter la qualité et de diminuer les coûts. Chaque employé dans une certaine mesure est lié au marketing chez IBM; même ceux du standard téléphonique et des bureaux administratifs, car ils nous aident à bien servir nos clients. Voyez-vous, notre organisation est orientée vers le marché.»

Rodgers, qui mesure 1,82 mètre, est un homme mince qui paraît plus jeune que ses cinquante et un ans. Il se lève et contourne son bureau. À l'aide de gestes pour mieux se faire comprendre, il poursuit: «Il existe toute une série d'étapes et de processus que le vendeur doit traverser, qu'il vende un produit IBM ou un autre produit. Il doit d'abord éveiller l'intérêt du client et lui montrer qu'il veut lui rendre service. Chez IBM, nous pensons qu'il est important de former une association, de sorte que le client s'aperçoive qu'il y a là plus que la visite d'un vendeur. Sur une certaine période de temps, le vendeur peut aller voir le client à plusieurs reprises et en arriver à bien le comprendre, ce qui lui permettra d'établir un plan qui sera valable pour plusieurs années.

«Afin de préparer un plan valable, une équipe de gens du marketing et de techniciens travaillera sur place pendant une semaine ou deux pour instaurer un plan qui décrira l'équipement requis et toutes les utilisations possibles; cette équipe déterminera également les rapports coûts/bénéfices couvrant plusieurs années. Ce plan est ensuite présenté au client et c'est là que l'association entre en jeu. Lorsque la compagnie et le client travaillent ensemble, ce dernier pense alors que vous êtes non seulement quelqu'un d'IBM, mais aussi quelqu'un à son service. C'est là le meilleur moyen de donner satisfaction à un client. Vous et le client travaillez ensemble pour atteindre un but commun.

«Lorsque le vendeur a réussi à démontrer au client qu'un certain besoin existe, il lui reste à trouver la meilleure solution. À partir de cette étape, il faut ensuite identifier les produits capables de résoudre le mieux ce problème particulier. Cela signifie du travail minutieux, comme par exemple la compréhension du processus de commande. Le vendeur doit pouvoir déterminer comment le client s'occupe de son inventaire. S'il s'agit d'une usine, il lui faut comprendre comment sont remplies les commandes et comment les employés de l'usine communiquent avec le service de planification. Une fois ces facteurs établis, et cela implique une analyse très détaillée, le vendeur doit mettre au point une proposition qui traite de tous les processus étudiés et qui fournit une solution détaillée aux problèmes spécifiques. Il est à espérer qu'à partir de ces informations, le vendeur puisse prouver au client que cette solution est justifiée au niveau des coûts, ce qui lui permettra d'obtenir la commande.

«Mais ce n'est qu'un début, poursuit Buck. Chez IBM, la vente n'est jamais terminée tant que le système n'est pas bien installé. Le vendeur doit s'occuper de toute la phase d'installation, y compris la formation du client; il doit lui montrer comment fonctionnent les machines et comment en tirer le meilleur parti possible. Finalement, l'équipement est livré; cela peut prendre un an mais fait partie de la phase d'installation.

«Notre rôle ne s'arrête pas là. Nous ne cessons jamais de nous occuper de notre client en essayant, par exemple, de trouver de nouvelles utilisations justifiant l'installation d'un tel équipement. IBM loue souvent des machines dispendieuses et à moins de continuer de donner au client le meilleur service qui soit, de toujours nous occuper de ses intérêts, nous courons toujours le risque de le perdre.

«Nous sommes des fervents de l'entretien préventif et nous pensons que c'est là un des secrets de la réussite d'IBM. Cela ne touche pas seulement notre organisation des ventes, mais également les personnes qui s'occupent du fonctionnement de notre équipement jour après jour. Nous pouvons desservir n'importe quel coin du pays et du monde. C'est pourquoi, lorsque nous disons *IBM est synonyme de service*, nous pensons à l'ingénierie, à la fabrication, à l'administration, au client et à la vente.»

Buck hoche la tête. «Aujourd'hui, dans certaines industries, les employés du marketing sont malheureusement incapables de bien s'intéresser à leurs clients. Par exemple, vous pouvez entrer chez un concessionnaire automobile et souvent, il n'y a personne pour vous parler avec précision du produit, sans parler du fait qu'ils ne peuvent même pas vous dire qu'ils veulent vous offrir un meilleur moyen de transport. Je ne veux pas m'en prendre à l'industrie automobile, dit Buck en souriant, mais combien de fois vous est-il arrivé d'entrer chez un concessionnaire sans rencontrer qui que ce soit pour même vous dire bonjour? Non seulement le vendeur devrait-il venir vous voir en vous demandant s'il peut vous aider, mais il devrait également vous vanter les meilleures caractéristiques de la voiture. Il devrait vous préciser que ce modèle vous permet d'économiser et vous faire comprendre que vous n'aurez pas d'ennuis avec le moteur. Et une fois la voiture vendue, combien de vendeurs s'occupent de leurs clients pour leur parler d'entretien préventif? Ce genre d'agence n'est pas là uniquement pour vendre des voitures; il dépend également des revenus tirés du service et de l'entretien. C'est comme si la plupart des vendeurs avaient perdu tout intérêt dans ce que nous appelons, nous, un excellent service. C'est dommage, mais dans presque tous les domaines, il est maintenant très rare d'obtenir un bon service et lorsque c'est le cas, on en est toujours étonné. C'est le contraire qui devrait se produire.

«Chez IBM, une commande n'est jamais classée tant que le système n'est pas installé efficacement. Voyez-vous, c'est un processus continu. Nous avons recours à des sources internes et à des études extérieures afin d'évaluer la satisfaction du client. Chez IBM, il existe des énoncés sur les exigences du marché qui indiquent les produits requis par nos clients et ces énoncés sont basés sur les déclarations du client et non pas sur ce qu'un technicien peut penser. Nous ne cessons jamais d'offrir le meilleur service possible à nos clients. C'est un processus continu. «C'est une affaire de répétition! dit Buck en frappant du poing sur son bureau. C'est pour cette raison que nous disons à nos vendeurs qu'*obtenir une commande, c'est facile, bien qu'il faille traverser tout un processus de justification.* Mais vu que la plus grande partie de notre équipement est louée, le client ne le gardera que s'il en est satisfait. Le vendeur doit aller voir son client sans arrêt pour lui dire: *Voici un nouveau produit. Une nouvelle technique. Une nouvelle application. Voici quelque chose qui pourra vous épargner une heure de travail!* Et je vous assure que c'est important! Même si cela n'en a pas l'air. Ce sont ces petites choses qui font toute la différence. Et vu qu'il s'agit d'un processus continu, nous utilisons deux mots toujours ensemble: *Vendre-Installer*, jamais un sans l'autre. Chez IBM, nous disons: *Rien n'est jamais terminé tant que l'installation ne l'est pas; rien n'est jamais installé tant que la vente n'est pas bien faite.*

«Savez-vous, continue Buck, il est facile pour un vendeur d'être tout enthousiasmé par la vente d'un produit et de faire alors du bon travail. Mais il est important qu'il ait la même attitude lorsqu'il s'occupe des petits détails. Par exemple, s'il doit assister à une réunion avec le client, il est important qu'il soit là, et qu'il y soit à l'heure. Il arrive que le client demande des renseignements ou une brochure. Il faut que le vendeur donne au client ce qu'il demande. Une autre petite chose que trop de vendeurs négligent de faire, c'est de retourner rapidement l'appel téléphonique d'un client. Tous ces petits détails aident à l'établissement d'une confiance réciproque. Très vite, tout rentre dans l'ordre. Le vendeur est fier de son travail et le client qui s'en aperçoit a confiance en son vendeur car il voit que ce dernier a confiance dans le produit qu'il vend. Peu importe le produit, il faut avoir confiance en soi pour réussir dans la vente. C'est ce qui permet ensuite de vendre le produit!»

Buck Rodgers a une bonne dose de confiance en lui. On le sent dans l'atmosphère quand on est dans la même pièce que lui. «Chez IBM, dit-il, nous aidons nos employés à avoir confiance en eux car nous les préparons bien avant qu'ils se rendent chez un client pour la première fois. L'autre jour, je parlais avec un jeune homme qui envisageait la possibilité de faire carrière chez IBM. Je lui demandais s'il pensait être capable de vendre. Il m'a répondu: *Si je crois au produit et si je sais ce que le produit peut faire, je peux le vendre.* C'est une bonne leçon à apprendre, quel que soit le domaine dans lequel vous travaillez. J'ai connu beaucoup de vendeurs qui ne connaissaient pas leurs produits et qui ne comptaient que sur leur mise en scène ou sur le prix du produit pour le vendre. Dans un marché aussi concurrentiel que celui d'aujourd'hui, vous ne pouvez que perdre si c'est tout ce que vous avez à offrir. Ce sentiment de confiance en soi provient en partie de ce que la personne est prête à apprendre par elle-même et en partie de la formation reçue de la compagnie.

«Il y a deux choses en affaires qui doivent augmenter proportionnellement au taux de croissance d'une entreprise. La première, c'est l'instruction et la formation et la seconde, c'est la communication. Nous consacrons beaucoup de temps à dire à nos employés *pourquoi* au lieu de *comment*. La plupart d'entre nous ont tendance à toujours dire aux autres comment ils devraient faire une certaine chose, et non pas *pourquoi*.

«Comme je le disais plus tôt, nous exigeons l'excellence dans tout ce que font nos employés. Mais il ne suffit pas d'en parler; il faut la mettre en pratique. Et c'est par le leadership personnel que l'on y parvient, à travers des programmes d'évaluation et tout ce qui s'y rattache.

«Nous formons nos employés pour qu'ils demandent la commande. Tout le monde sait pour quelle raison ils vont voir un client - c'est pour lui vendre quelque chose. Lorsque le vendeur croit à son produit et s'il sait que ce produit rendra service au client, il devrait être en mesure de demander une commande.»

IBM a institué un système de formation pour ses employés, mais elle a également mis au point un programme de formation destiné aux clients. Les centres de formation pour clients sont établis à travers tous les États-Unis; il s'en trouve également une cinquantaine dans des pays étrangers. «Entre la formation de nos employés et celle de nos clients, dit Buck en souriant, je pense que nous représentons, au figuré, la plus grande université au monde.

«Nous consacrons beaucoup de temps à l'orientation de nos clients, depuis les directeurs jusqu'aux programmeurs, en passant par les employés qui utiliseront nos machines. Chez IBM, par exemple, nous avons un cours destiné aux cadres pour des présidents et directeurs de compagnies dont les chiffres d'affaires dépassent souvent le milliard de dollars. Ils viennent au siège social pendant une semaine environ pour s'y familiariser avec la nouvelle technologie et pour apprendre ce qui se passe dans le domaine des ordinateurs. Plus important encore, nous essayons de leur démontrer comment un système d'ordinateurs peut être un outil efficace dans un processus de prise de décision, comment l'ordinateur peut les aider à augmenter leur productivité et à améliorer leurs services.

«Nous avons actuellement un projet en collaboration avec l'école d'administration de Harvard. Nous voulons que nos vendeurs se sentent à l'aise avec le personnel de direction et nous croyons donc qu'ils doivent savoir les comprendre. Nos cadres en comptabilité suivent, pendant environ trois semaines, des cours orientés sur la planification financière, l'organisation et le fonctionnement d'une entreprise.

«À l'Université Rutgers, dans un autre de ces programmes, nos employés suivent un plan d'études destiné à leur faire comprendre le domaine bancaire. Nous pensons que tous nos vendeurs doivent être en mesure de comprendre ce que fait le client. Sinon, il ne pourra jamais trouver la réponse adéquate au problème particulier de son client. Nous pensons que chacun de nos vendeurs doit être en mesure de présenter un plan intelligent à long terme. Si notre conception est telle, ce n'est pas seulement parce que nous vendons des produits qui aident au processus de la planification, mais parce que nous sommes persuadés qu'à moins que vous ne compreniez les forces qui ont la plus grande influence sur une entreprise, ces forces finiront par vous contrôler au lieu d'être contrôlées par vous. Nous développons donc des scénarios de la place du marché et nous déterminons les changements qui doivent se produire au sein d'une industrie particulière; nous essayons ensuite de transmettre cette information à nos vendeurs. Les vendeurs vont ensuite voir le client avec une bonne idée de la situation et ils ont quelque chose de constructif à présenter. Bien sûr, ça ne se produit pas toujours ainsi mais c'est ce que nous visons.

«IBM, dans son programme de service de sensibilisation au client, accuse réception de toute plainte dans les vingt-quatre heures. Ceci ne signifie pas que nous ayons une réponse en main, mais nous prévenons le client par téléphone, télégramme ou lettre que nous nous penchons sur son problème. L'une des meilleures annonces publicitaires que nous ayons jamais eue disait: *IBM est synonyme de service.* S'il s'agit d'un de nos employés qui ne donne pas le service adéquat, nous prenons immédiatement les mesures qui s'imposent.»

Buck continue. «Nous croyons que nous devons vendre notre force, et non pas les faiblesses d'un autre. Par conséquent, lorsqu'un client demande à l'un de nos vendeurs son avis sur un produit concurrentiel, nous lui répondons: *Nous allons vous expliquer ce que nos produits peuvent faire et comment nous pouvons vous offrir le meilleur service qui soit, mais en aucune circonstance nous ne critiquons ou rabaissons qui que ce soit!* Nous sommes très fermes là-dessus et s'il en est, parmi nos vendeurs, qui critiquent les produits de la concurrence, ils font l'objet de sanctions très sévères.

«Là encore, c'est la question de se montrer juste et de respecter un minimum d'éthique professionnelle. Chacun devrait avoir la chance de présenter ouvertement ce qu'il a à offrir; c'est le principe de la libre entreprise; c'est ainsi que celui qui offre le meilleur service et la meilleure qualité de produit est le vainqueur.»

Il est vraiment remarquable qu'une corporation dont le revenu brut dépasse les $16 milliards et dont l'actif est d'environ $18 milliards adopte une telle attitude, mais IBM est une compagnie unique en son genre. «Nous ne cessons jamais de nous battre, insiste Buck, et nous sommes toujours à la recherche de nouvelles façon d'être plus efficaces. La division du travail s'avère souvent être la meilleure réponse, mais plus importante encore est l'attitude de nos employés. Nous essayons toujours de maintenir l'importance de nos succursales à un niveau où l'individu ne se sentira jamais perdu et qui nous permettra quand même de maintenir des communications directes avec nos clients.

«Bien qu'IBM soit l'une des compagnies les plus importantes au monde, nous ne pensons pas qu'il soit important d'insister sur ce détail. Lorsque nous n'étions encore qu'une petite compagnie, nous ne nous en vantions pas et maintenant que nous avons pris de l'envergure, nous ne le mentionnons pas non plus. Le point sur lequel nous avons toujours insisté, c'est le sens de nos responsabilités face aux clients. Notre compagnie se compose d'individus. Notre principe est le suivant: *Nous recherchons l'excellence dans tout ce que nous faisons.* C'est là-dessus que nous avons toujours insisté: la qualité et le service.

«Nous disons à nos clients: *IBM s'intéresse à vous et vous pouvez nous juger selon ce critère.* Vous savez, qu'il s'agisse d'IBM ou de toute autre grosse compagnie, l'importance d'une compagnie est un couteau à double tranchant. Pour certains où le service individuel laisse à désirer, l'envergure peut signifier une bureaucratie inefficace et le client a l'impression qu'on se préoccupe très peu de ses intérêts. Il y a aussi l'autre type de réputation, celle que veulent les entreprises orientées vers le marché; c'est celle de la compagnie qui offre d'excellentes ressources, de bons employés et qui se penche sur les petits détails comme sur les gros.»

Depuis que Tom Watson, Sr a établi certains principes pour sa compagnie, l'administration, dirigée par des gens comme Buck Rodgers, s'est toujours acharnée à les maintenir. C'est l'application de ces principes qui a permis à la compagnie de conserver son intégrité dans les affaires à l'échelle internationale. C'est tout un accomplissement pour n'importe quelle compagnie, encore plus quand elle a l'envergure d'IBM.

5

Shelby H. Carter Jr.

Xerox

«Une question d'orgueil...»

Shelby H. Carter Jr est vice-président senior de la compagnie Xerox Corporation's Information Systems Group et vice-président de la compagnie. Il est le vice-président senior des opérations aux États-Unis pour les ventes, le service et l'administration de tout ce qui concerne les photocopieuses et les fournitures Xerox vendues aux États-Unis.

Shelby est entré chez Xerox en janvier 1970 comme directeur régional des ventes pour le Nord-Est américain. Il est par la suite devenu directeur national des ventes pour le marketing à l'industrie, il a été nommé vice-président et directeur national des ventes en mars 1972 et vice-président, personnel du marketing des systèmes en 1973. Il a été désigné vice-président des ventes par territoires en janvier 1975 et vice-président senior en janvier 1976. En janvier 1977, il a été élu vice-président de la compagnie.

Shelby est né le 23 mars 1931 à Brooklyn, New York. Il est diplômé de l'Université du Texas avec un baccalauréat en administration. Il a aussi suivi des cours de droit à cette même université pendant un an. Il a par la suite étudié le droit à l'Université du Maryland. De 1953 à 1956, il a été premier lieutenant dans le Corps de Marine et aide de camp du commandant général de la seconde division au cours de ses deux dernières années de service.

Avant d'entrer chez Xerox, Shelby a occupé pendant quatorze années, des postes dans le marketing et la gestion chez International Business Machines Corporation. Présentement, il vit avec sa femme, Patricia, qui est professeur à Rochester, New York. Ils ont six enfants: Shelby III, vingt-trois ans; Randy, vingt-deux ans; Michael, vingt ans; Jane, dix-sept ans; Colin, quatorze ans; et Dan, onze ans.

Shelby a été membre de plusieurs conseils d'administration; c'est aussi un fervent du jogging et du tennis.

Au cours d'un voyage de cinq jours au cours duquel il visita quinze des succursales Xerox, Shelby Carter ne cessa de répéter le même message aux employés:

Nous n'allons pas vous couper les moyens. Nous ne voulons pas vous envoyer au travail sans les outils nécessaires. Comme vous, je n'aime pas me couper les ponts.

Nous allons vous donner un plan réaliste et exécutable à suivre. Depuis deux ans, je lis dans les magazines financiers et d'affaires, et je sais qu'ils disent vrai, que l'équipe de marketing de Xerox est la meilleure. Nous allons avoir la chance de le prouver *une fois de plus*. Je vais vous demander maintenant d'obtenir comme jamais auparavant les meilleurs résultats jamais obtenus. Tout est entre vos mains.

Son message est positif et énonce clairement ce qu'il veut et ce qu'il attend de ses employés. Il communique l'enthousiasme et l'excitation. Carter est fier d'être une super-personnalité de la vente et sa fierté est contagieuse. Shelby Carter donne envie à tous ceux qui se trouvent dans la salle de faire de leur mieux. Il n'accepte rien de moins.

SHELBY H. CARTER, JR.

Ce sont des individus comme Shelby, qui ont l'expérience de la vente, qui peuvent motiver une équipe de vendeurs de façon aussi positive. Il ne demande à personne de faire quelque chose qu'il n'a pas déjà fait lui-même. Il est fier d'être vendeur et c'est cette fierté qui fait qu'il est aussi efficace avec ses employés.

«Je suis très fier de l'art de la vente, dit-il avec un large sourire. Je pense qu'il s'agit là d'un héritage américain. J'aime sortir pour aller voir des clients et jusqu'à ce jour, je suis toujours resté en contact avec eux pour savoir de quoi ils ont besoin et ce qu'ils veulent. Je vais voir des clients d'un bout à l'autre du pays. C'est quelque chose que j'aime et je continuerai à le faire tant que je serai impliqué dans le marketing.»

Depuis son service de trois ans dans le Corps de Marine, Shelby a orienté toute sa carrière dans la vente et il rayonne de l'enthousiasme d'un jeune représentant des ventes allant voir son premier client. «Quand vous frappez sur un pavé de briques avec ce que j'appelle une pierre de toile, dit-il, vous devez avoir de l'endurance. Lorsque j'ai commencé à vendre des machines à écrire IBM en 1956, j'ai placé une affiche dans ma voiture, sur laquelle on lisait: *Les visites sont les entrailles de ce commerce.* Nous vivions à Baltimore et je devais parcourir soixante-quatre kilomètres chaque jour pour me rendre à Annapolis, qui faisait partie de mon territoire. Ma femme, Pat, me préparait un grand pot de limonade que je plaçais à l'arrière de ma voiture pour éviter de devoir m'arrêter pour dîner. Mais je vous jure que vous devez vous montrer dur avec vous-même. Il faut toujours visiter un client de plus que prévu. Aujourd'hui, je dis à mes vendeurs: *Vous allez voir un client de plus aujourd'hui; ça en fait cinq de plus par semaine, vingt par mois et deux cent quarante par an. Et quel bon employé de Xerox n'est pas capable de conclure dix pour cent de commandes? Alors, si vous pouvez remporter vingt-quatre ventes de plus par an, vous serez sûrement un gagnant!*

«Ce sont les directeurs des ventes qui établissent le rythme, explique Shelby. Ils doivent montrer la voie. Ils doivent insister sur la discipline. Et ceci sans égards à ce que vous vendez: des machines à écrire, de l'assurance, de l'immobilier ou autre chose. Si vous allez voir tous ces clients supplémentaires, disons vingt par mois, vous aurez la chance de faire trois démonstrations de plus et d'obtenir une vente de plus.

«Mais il y a une chose que vous devez réaliser; c'est que même si le rôle du leader est important, cela ne veut pas dire que chacun le suivra automatiquement. La seule chose que je considère comme importante, c'est de bien comprendre que les représentants des ventes ne travaillent que pour une seule personne. Eux-mêmes! Je me moque de ce que disent les psychologues et les psychiatres du monde entier. Lorsque le représentant des ventes rentre chez lui après une dure journée, il se dit *Encore une pour moi! Oui, bonne journée pour* moi! C'est un univers ardu et pénible et quand vous allez dans le centre de Manhattan, de Los Angeles ou de Chicago et que vous rencontrez quelqu'un qui ne le croit pas, alors là, vous avez un problème.

«C'est un désir profond; les vendeurs aiment la compétition, déclare Shelby. Les gens ne devraient pas se lancer dans la vente s'ils n'ont pas ce désir. Ils ne rentrent pas chez eux le soir en se disant: *Une autre pour Carter.* Ils ne me connaissent même pas! C'est leur fierté intérieure qui les pousse à obtenir des résultats, parce qu'ainsi, ils ont l'impression d'avoir accompli quelque chose. C'est sûr qu'après l'avoir fait pour eux-mêmes, ils ont peut-être envie de le faire pour leur directeur. Mais n'oubliez pas: c'est d'abord pour eux qu'ils travaillent.

«Bien sûr, lorsque le directeur s'implique personnellement, cette collaboration entraîne une plus grande motivation, continue Shelby. Je me souviens de mon premier directeur des ventes chez IBM, un gars qui s'appelait Tommy Thompson. Ça, c'est un bon exemple de leadership. En 1956, je gagnais $250 par mois et ma fille fit une méningite trois semaines après sa naissance. On dut l'emmener à l'hôpital et je n'avais pas l'argent pour payer les soins. Tommy me fit venir à son bureau et me dit: *Écoutez, Carter, j'ai un chèque-dividende de $500 et je ne sais pas quoi en faire. Alors, je vais vous le donner. Prenez-le!*»

La voix de Shelby trahit son émotion. «Je n'oublierai jamais Tommy Thompson. Si je regarde en arrière maintenant, je me dis: *C'est à croire qu'il ne savait pas quoi faire de ce chèque. Il avait un million de possibilités de le dépenser.* C'est ce que j'appelle l'implication personnelle - quelque chose qui vous donne envie de réussir pour quelqu'un qui croit en vous.»

Shelby marque un arrêt et dit: «Vous savez, il y a une règle primordiale dans la gérance de la vente qui dit, lorsqu'on aborde le sujet de l'implication personnelle: Restez en dehors de ça. Mais dans la réalité de la vie, vous vous impliquez. Vous travaillez ensemble, vous vivez ensemble. Vous apprenez à connaître vos vendeurs et il s'établit une relation durable. Parmi mes meilleurs amis, il y a des vendeurs avec qui j'ai travaillé et bien qu'il y en ait certains que je n'ai pas vus depuis vingt ou vingt-cinq ans, ma femme et moi-même restons encore en contact avec eux. Ce n'est peut-être rien qu'une carte de Noël mais nous avons toujours hâte d'avoir de leurs nouvelles chaque année.»

Chez Xerox, la formation des vendeurs commence par un programme d'endoctrinement qui débute lorsque l'employé entre dans la compagnie. «La compagnie dispose d'un enregistrement que nous faisons tourner pour les gens avant même qu'ils ne soient engagés, explique Shelby. Et nous mettons cartes sur table dès que les représentants débutent leur carrière chez Xerox. Nous leur disons que le travail est difficile. Nous leur disons également que s'ils s'intègrent à l'équipe, et nous leur apprenons les règles du jeu, ils apprendront à faire ce qu'on leur a montré, comme de véritables professionnels du football. Chaque mouvement est prévu pour qu'un but soit marqué, ou dans notre cas, pour qu'une vente soit conclue. C'est vrai, chaque mouvement exécuté correctement permet théoriquement de réussir. Les représentants suivent nos cours et dès le début, ils apprennent des petites choses, comme par exemple que les cours commencent toujours à l'heure.

«Nous avons un processus qui dicte: *Vous devez avoir de l'organisation.* Lorsque je me trouve avec un représentant, je vérifie tous les détails pour ne rien laisser au hasard. J'examine des petites choses comme sa valise et si elle est en désordre, je le lui fais remarquer! Ce que je veux savoir ensuite, c'est où se trouvent les cartes d'affaires. S'il ne les a pas sur lui, là encore, il se le fait dire. Je veux vérifier les moindres détails. A-t-il les brochures adéquates? Sont-elles bien organisées? Je vérifie tout. «Et le tout se transmet par l'exemple. Bien que cela ne soit écrit nulle part et qu'il ne s'agisse pas d'un règlement, on estime que 99,9 pour cent de nos vendeurs portent un costume et non pas des vêtements sport. Nous avons une image et elle est très subtile. Nous établissons un certain rythme. C'est la discipline dans l'organisation intérieure et la fierté du représentant des ventes qui font qu'il veut faire partie de l'équipe. Comme je l'ai déjà dit: *Nous sommes durs* mais cette endurance n'est pas du genre à s'effriter ou à casser. C'est l'endurance du cuir; vous devez être souple. Il faut que nous soyons capables de nous plier un peu, de donner, d'être malléables. Lorsqu'on travaille avec des individus aux personnalités diverses, il faut savoir les traiter de façon différente. Par exemple, le vendeur qui va voir ses clients dans le Wyoming ne s'habillera pas exactement comme celui qui va voir des clients dans Manhattan ou à Chicago. Dans le Sud, le vendeur peut aller voir ses clients avec une chemise à manches courtes et une cravate, sans veste par-dessus.

«Je me souviens, au début des années soixante - impeccablement vêtu, Shelby rit - quand je suis allé à Boston pour voir des clients avec un jeune homme dans la vingtaine. Ce vendeur avait des favoris. J'étais ahuri, mais j'avais décidé de ne rien dire. Nous sommes donc allés voir ses clients et à la fin de la journée, je me suis aperçu que 90 pour cent des gens que nous avions rencontrés portaient, eux aussi, des favoris! Je me les imaginais en train de penser: *Qui c'est, ce drôle de bonhomme, qui porte un costume foncé, des cheveux courts et de drôles de chaussures?* Il faut être capable de s'adapter. C'est ce que je voulais exprimer en disant qu'il fallait se montrer dur mais malléable.»

Shelby ne croit pas au mythe du vendeur-né ou du vendeur modèle. «J'ai une certaine théorie sur les vendeurs, que j'appelle ma théorie des *cinquante-sept variétés Heinz*. Il rit: je pourrais vous présenter cinquante-sept vendeurs d'une même compagnie et ils auront chacun une personnalité différente. En les regardant, on les trouvera complètement différents, pourtant ils auront une chose en commun, c'est qu'ils réussissent tous bien comme vendeurs. Donc, lorsque j'engage du personnel, je me réfère à une liste de traits de caractères que j'exige. Le premier, c'est que la personne soit capable de définir problèmes et solutions. Je veux que la personne soit capable de se présenter quelque part et qu'elle puisse présenter des solutions au lieu de parler des problèmes. À quoi ça sert d'avoir quelqu'un qui vous parle de ce qui ne va pas s'il est incapable d'apporter une solution? Et je pose immédiatement des tas de questions afin de voir les réactions. Je demande: *Comment allez-vous vous y prendre? Quelle est la première chose que vous allez faire?* S'il s'agit de postulants à un poste de la direction, ma question est: *Avez-vous l'intention de tenir des réunions hebdomadaires? Que pensez-vous des réunions du personnel? Pourquoi choisissez-vous cette solution-là?* Je peux également poser quelques questions d'essai, du genre: *Que feriez-vous si...?*

«Je veux ensuite savoir s'ils sont prêts à payer le prix ou, en d'autres mots, à s'impliquer. Et c'est cela qui vient du désir de réussir. La personne est-elle prête à payer le prix de la réussite? Je veux également être certain que la personne sait faire preuve de décision. Dispose-t-elle d'un jugement pénétrant? Est-elle capable de voir les choses jusqu'au bout? Vous savez, parfois le mieux, c'est justement de ne rien faire. Je demande: *Comment vous voyez-vous dans cinq ans?* On peut me répondre: *Dans cinq ans, je veux être directeur. Je veux être vice-président. Je leur dis que s'ils acceptent de me dévoiler leurs ambitions, je peux les aider à les réaliser. S'ils me donnent une réponse sans y réfléchir, cela prouve qu'ils manquent de jugement. J'aime bien les voir se caler au fond du fauteuil et dire: Ça, c'est une bonne question. Je n'avais jamais pensé aussi loin. J'aimerais y réfléchir. J'ai des intérêts personnels et des intérêts professionnels. Il faut que je les définisse.* Alors, j'écoute et je discute avec eux. J'aime bien quand ils sont capables de voir tous les côtés d'une question et qu'ils sont capables d'y penser.»

Shelby prend un air sérieux alors qu'il continue. «Il y a un mot clé inséparable de l'esprit de décision. Et ce mot-là, c'est *risque*. Plus une personne est capable de prendre une décision rapidement sans se tromper, plus elle me plaît; qu'il s'agisse de soumissionner sur un projet important, ce qui peut impliquer une analyse des coûts et une projection de la productivité, ou qu'il s'agisse de quelque chose se rapportant à la vie privée. Quelqu'un peut me dire: *Je ne pense pas que j'aimerais travailler à commission. Pourquoi ne me mettez-vous pas à salaire?* C'est ce genre de commentaires qui vous dévoilent la personnalité d'un individu.

«Mon quatrième critère ennuie beaucoup de gens, admet Shelby. J'exige que les gens se montrent durs mais corrects. J'en reviens toujours à cette dureté mais simplement parce que c'est un point critique. C'est une qualité que l'on développe par la discipline personnelle. Il faut absolument comprendre que rien n'est facile et qu'il faut travailler dur pour obtenir quoi que ce soit. C'est quelque chose de physique et c'est quelque chose d'émotif. Il faut être capable de puiser dans ses réserves. Et tout commence dès que le vendeur sort d'ici. Faire la visite supplémentaire dont je parlais tout à l'heure. Là encore, j'en reviens à 1956, lorsque j'avais placé cette affiche dans ma voiture: *Les visites sont les entrailles de ce commerce.* Je ne cessais d'exiger de plus en plus de moi-même. Une autre visite, rien qu'une.»

Ce directeur des ventes soigné et d'apparence jeune se cale dans son fauteuil et réfléchit. «Ma dernière pensée en est une philosophique. C'est celle de la perspective. Il faut pouvoir trouver des vendeurs et des directeurs qui sachent regarder tout en perspective. Lorsque vous parlez à des personnes énergiques qui sont agressives, ce qui les préoccupe le plus, c'est habituellement leur travail et les opportunités que leur offre leur carrière. Cependant, il faut qu'elles puissent en déterminer l'importance par rapport aux autres facettes de leur vie. N'oubliez pas que dans la vie, il y a autre chose que le travail. Il y a la famille, la communauté, la religion et toute une gamme de choses agréables. Ce qui est important, c'est de voir si ces personnes sont encore capables de sourire, de penser à autre chose que leur travail ou bien si elles sont du genre à se réveiller à cinq heures du matin et à rester au lit en se disant: *Il faut que je me lève à six heures!* Ce sont là des détails auxquels il faut faire attention.

«Avez-vous déjà remarqué le nombre incroyable de vendeurs dont la poche droite du pantalon est archi-usée? dit Shelby en souriant. Ce n'est pas son portefeuille qui en est la cause. Habituellement, le portefeuille se place dans la poche arrière ou dans la poche gauche. C'est parce que le vendeur, avant de serrer la main du client, essuie sa main sur son pantalon. J'estime qu'il y a environ 20 à 30 pour cent des vendeurs auxquels vous serrez la main - et il n'en tient qu'à vous de le remarquer - qui essuient l'excès de transpiration de leur main avant de la présenter. C'est certain que l'adrénaline doit fonctionner alors je n'en parle pas. Je parle de ceux qui sont tellement tendus qu'ils sont sur le point d'étouffer. Et ça, c'est déplorable.

«Le vendeur doit donc pouvoir regarder les choses dans la perspective qui s'impose. S'ils s'acharnent trop à la tâche, ils accumulent de la fatigue. S'ils ne sont pas prudents, et vous savez que la plupart des vendeurs sont des gens très émotifs, ils continuent à travailler et l'épuisement s'installe. Comme je vous le disais, on peut les remarquer à la manie qu'ils ont de s'essuyer les mains.

«Vous savez, continue Shelby, les vendeurs sont tellement impliqués dans leur travail qu'ils ont peur de dire qu'ils partent en vacances. Je vais vous raconter une histoire. Nous étions à une réunion concernant *la direction par l'exemple* et je faisais une présentation à toute mon équipe de direction. Je leur dis pour conclure mon discours: *Parfait, c'est ce que nous allons faire maintenant. Boum, boum, boum... Maintenant, allez-y, faites-le!* Puis j'ai terminé en disant: *Je m'en vais à la pêche, je pars.* Et je suis parti avec mes deux fils de onze et quatorze ans à Nantucket pour deux semaines. Et le dernier jour, on a attrapé treize poissons.» Shelby rit.

«En parlant de notre programme de *la direction par l'exemple,* dit Shelby, nous avons récemment déclaré à notre équipe de direction que tout le monde devrait maintenant subir un entraînement. Nous sommes donc tous allés à Leesburg en Virginie, au centre de formation et chacun a dû revoir les principes de base. Et quand je dis chacun, je veux dire tous, y compris moi-même. *Bonjour, je m'appelle Shelby Carter et je travaille pour Xerox. Je viens vous faire une démonstration de notre merveilleux équipement.* On a dû tout revoir. *Vous ne poussez pas sur le bouton. Vous y touchez seulement! Vous devez exciter le papier. Vous ne faites pas simplement partir la machine, vous devez la faire démarrer. Vous l'allumez!*

«Nous avons revu tout ce qui concernait les produits, les gens, les prix et les éléments qui forment la clientèle. *Bonjour, monsieur Smith. Je vous remercie de votre clientèle. Et en passant, j'aimerais vous vendre autre chose.* Nous avons ré-endoctriné nos employés sur le fonctionnement de notre équipement. Je veux dire, afin qu'ils comprennent *vraiment* tout. Lorsque nous parlons de *direction par l'exemple,* nous attendons de nos directeurs qu'ils aillent voir les clients au même titre que les représentants.

«Nous adoptons un thème pendant un certain temps, puis nous passons à un autre. Une année, notre thème a été *L'excellence dans la direction* et en 76, c'était *L'excellence dans l'exécution.* Nous avions placé partout des affiches qui disaient *L'excellence dans l'exécution*. Puis nous sommes passés au thème de *L'excellence en 77*. Je suis persuadé que ces thèmes nous aident à établir nos niveaux de rendement.

«Vous nous verrez mettre de l'emphase sur le mot *excellence*, dit Shelby en souriant. Une fois encore, c'est une question d'orgueil. Un individu doit avoir l'envie d'atteindre l'excellence dans tout ce qu'il fait. L'une de mes pensées favorites est de John Gardner. Dans son livre *Excellence*, il dit: *La société qui méprise l'excellence dans la plomberie parce que la plomberie est une activité de peu d'importance, et qui tolère l'à-peu-près dans la philosophie parce que la philosophie est une science exaltée, n'aura ni bonne plomberie ni bonne philosophie. Ni ses tuyaux ni ses théories ne tiendront.*

«Vous l'aimez? Je vais vous en citer une autre, de moi celle-là: *La recherche de l'excellence face à l'adversité s'accompagne invariablement de la gloire des résultats.*

«Bien sûr, lorsque vous parlez d'excellence, c'est rattaché avec le client. Le prix que nous ne pouvons pas nous permettre, c'est un client mécontent. Nous vendons un service; nous ne vendons pas des machines. Dans notre cas, nous vendons une copie finie. Lorsque j'ai commencé, je vendais des machines à écrire électriques, mais ce n'était pas l'équipement en lui-même que je vendais. Je vendais ce que l'équipement pouvait faire. À ce moment-là, il s'agissait de machines à écrire électriques versus des machines manuelles. Je disais au client: *Avec une machine manuelle, votre secrétaire doit abaisser la touche d'un quart de pouce. Dans le cas d'une machine électrique, il lui suffit de l'abaisser d'un huitième de pouce. Et la différence, c'est comme si votre secrétaire devait faire aller ses doigts de Baltimore, Maryland à Columbus, Ohio, au lieu de frapper de Baltimore à la Californie! Que préférez-vous qu'elle fasse? Qu'elle utilise une machine manuelle qui exige deux à trois kilos d'énergie ou une machine électrique, qui n'en demande que quelques grammes. Cette dépense d'énergie pourrait être la différence entre pelleter vingt tonnes de charbon par jour comparativement à deux kilos. C'est une économie énorme d'énergie.* Peu importe le produit vendu, il faut pouvoir relier ce produit aux besoins du client, afin de lui rendre un service authentique.

«Lorsque nous étions au centre de formation de Leesburg, nous avions un cours qui s'intitulait *La dextérité de la vente professionnelle*. Dans ce cours, il y avait une technique qui portait sur la façon de poser les questions et qui insistait sur l'écoute. Nous devions poser des questions comme *Quels sont vos besoins au niveau de la photocopie? Le temps est-il un facteur important pour vous? Vos copies doivent-elles être de bonne qualité? Le temps de retour d'un document est-il important? Ou bien est-ce que la machine doit être de fonctionnement facile pour l'opérateur? Êtes-vous centralisé? Préparez-vous des rapports? Avez-vous besoin de réduction? Avez-vous besoin de copies recto-verso?* Voyez-vous, il nous faut vraiment interroger le client pour voir les services que nous pouvons lui offrir. Par exemple, les copies recto-verso peuvent s'avérer l'élément important à cause du coût élevé de l'espace de bureau, car c'est un moyen d'économiser sur l'espace de rangement. Et incidemment, on touche ici au problème de l'écologie, vu que les copies recto-verso permettent d'économiser le papier. Les gens sont toujours intéressés à économiser nos ressources naturelles.»

Bien que Xerox ait été le leader en matière de photocopie, la compagnie a partagé certains de ses brevets et de ses renseignements techniques avec d'autres compagnies qui ont demandé et obtenu des permis Xerox. Donc, bien plus que les brevets, c'est l'expertise au niveau de la fabrication et de la mise en marché qui est à la base de la réussite de la compagnie. Il est très significatif que les revenus nets de Xerox pour les premier et deuxième trimestres se terminant le 30 juin 1977 ont été les plus élevés, par trimestre, de l'historique de la compagnie. Comme le dit Shelby: «Tout revient au service au client. C'est là la force de Xerox, ou si vous voulez, de n'importe quelle compagnie. Il s'agit de fournir le bon produit avec un service adéquat, le tout accompagné des services administratifs requis.

«Les gens ont fini par s'apercevoir que Xerox est une compagnie fiable, insiste Shelby. Nous avons une grande variété de produits qui peuvent faire tout ce dont le client a besoin en matière de reproduction; de plus, nous assurons un excellent service à la clientèle.

«Je vais vous donner un bon exemple de la façon dont un petit détail, insignifiant en apparence, m'a un jour influencé alors que j'étais le client. Lorsque nous avons déménagé dans notre nouvelle maison, la famille au complet avec les six enfants et les deux chiens, c'était notre premier jour dans la maison et tout était à l'envers. Les enfants se réunirent dans la salle familiale et le téléviseur ne fonctionnait pas. Je consultai les pages jaunes pour appeler un technicien. Il vint immédiatement. Lorsqu'il eut fini de réparer l'appareil, il me demanda d'y jeter un coup d'oeil. J'enjambai les enfants, le berger allemand, les livres et je le vis qui, au lieu de me tendre une facture, sortait une bouteille de Windex et nettoyait la vitre. Cela m'impressionna, car il me prouvait par là qu'il était fier de son travail et du produit qu'il réparait. Et depuis ce jour, j'ai toujours dit à ma femme, lorsque notre téléviseur avait besoin de réparation: *Chérie, appelle le gars du Windex.* Il a la fierté de son travail et je le respecte pour cette raison-là.

«Cette attitude de fierté pour le produit que vous vendez donne au client le sens de la continuité et de la stabilité. Il sait que vous vous intéressez à votre travail et que vous reviendrez. Et je pense que le fait de ne pas pousser sur un bouton mais de le toucher avec délicatesse prouve que vous traitez la machine avec respect. Et c'est parce que vous êtes fier de ce que vous vendez.

«Je pense qu'il est très important qu'une compagnie forme minutieusement ses vendeurs pour qu'ils comprennent parfaitement les produits qu'ils vendent, déclare Shelby. «Lorsque le représentant connaît *vraiment* la qualité de son produit, il en est fier, car il y *croit*. La compagnie doit également les former en ce qui concerne la vente. Ce n'est pas quelque chose que l'on a en naissant. On doit apprendre à vendre. Par exemple, si on ne dit pas à un vendeur comment faire pour obtenir une commande, il peut très bien ne jamais savoir comment le faire. Le résultat, c'est que les ventes ne seront jamais aussi bonnes qu'elles devraient l'être. Chez Xerox, nous apprenons à nos vendeurs qu'il faut commencer par demander la commande et placer le formulaire sur la table aussi rapidement que possible, de façon à ce qu'il n'y ait pas de surprise. C'est l'une des premières choses que je fais lorsque je fais une démonstration. Je place le nécessaire (bon de commande et stylo) sur la table.

«Nous apprenons aussi à nos vendeurs à faire des commandes d'essai: *Étant donné que nous sommes d'accord sur ce dont nous avons discuté, monsieur, voulez-vous commander la machine? De quelle couleur? Laquelle? Trouvez-vous qu'elle vous est nécessaire?* Si la réponse est non, je demande: *Pourquoi?* Puis il faut faire comme si la vente était faite et lui demander de signer le bon de commande en disant: *Appuyez fort, il y a cinq exemplaires.*»

Shelby se cale dans son fauteuil, rit et ajoute: «En fait, j'aurais dû lui demander de signer un seul exemplaire, car nous pouvons faire les quatre autres copies!»

Il se penche et poursuit sérieusement: «Je pense que lorsque les vendeurs sont bien formés à la vente de nos produits, ils ont la confiance nécessaire pour réussir. C'est comme une fierté, car ils savent que nos produits sont bons! Vous savez, la vente, c'est comme l'orchestration d'une grande symphonie. Il y a tous ces instruments, et ils doivent jouer en même temps. Il faut les rassembler en un tout.

«L'important, c'est que le représentant des ventes ait tout ce qu'il lui faut pour faire face à n'importe quelle situation. Vous savez, de temps en temps, un novice me demande: *Monsieur Carter, je ne sais jamais si je peux boire ou non lorsque je dîne avec un client. Qu'en pensez-vous?* Je lui réponds: *Si vous voulez boire, prenez un whisky, pas de la vodka. Comme ça, vos clients sauront que vous avez bu, que vous n'êtes pas stupide.*»

Shelby ajoute en riant: «Comment voulez-vous que ce représentant inspire confiance à ses autres clients de la journée s'il boit au dîner?»

Une grande part de la réussite de Shelby dans la gestion des ventes est due à son attitude directe avec ses vendeurs. Il en vient directement au fait et les vendeurs le respectent. Si, par exemple, il essaie de faire comprendre qu'une certaine situation exige de la créativité de la part du vendeur, il peut citer Churchill: *S'il n'y a pas de vent, ramez.* Ou bien, il peut avoir recours à l'une de ses pensées favorites: *L'endurance est le dévouement inébranlable à un principe, guidé par la vérité.*

D'après un article paru récemment dans le *Money Magazine*, Xerox fait partie des dix meilleurs employeurs aux États-Unis. Il va sans dire qu'une personne comme Shelby Carter, dirigeant la vente, le service et la gestion de tous les produits vendus aux États-Unis, n'est pas étrangère à ce fait.

Il est un directeur de ventes qui n'hésite pas à accompagner ses vendeurs pour les encourager et de leur faire comprendre qu'il est conscient que c'est un travail difficile.

«Tant que la vente n'est pas faite, rien ne se produit, leur dit-il. Je sais qu'on peut me répondre qu'il ne se passe rien tant que le produit n'est pas fabriqué, mais je dis que *La production moins la vente égale zéro*. Vous pouvez fabriquer un tas de produits à l'entrepôt; tant qu'ils ne sont pas vendus, vous n'avez rien!»

Il cite le toreador espagnol Domingo Ortega: *Les critiques sont là dans les rangs; ils envahissent les gradins; mais un seul sait; et c'est celui qui affronte le taureau.* Puis il ajoute: «Ce vieux picador de Rochester n'oublie jamais que c'est vous qui devez affronter le taureau.»

Shelby parsème aussi ses discours de citations de Shakespeare. «Pour la lutte que représente le monde des affaires aujourd'hui, dit-il, et vous savez qu'il s'agit d'une véritable lutte, je cite quelques passages d'*Henri V* de Shakespeare. Le roi dit à ses troupes, avant la bataille d'Agincourt: *Et les hommes en Angleterre maintenant au lit regretteront de ne pas avoir particité à cette bataille.*»

Et les employés de Shelby, voyant la fierté qu'il a pour sa compagnie et ce qu'elle représente, sont eux-mêmes imprégnés de cette fierté.

6

Rich Port

Immobilier

«Le secret de la réussite... c'est le service.»

Rich Port est président de Rich Port, Realtor® *, l'une des agences immobilières les plus importantes du pays, se spécialisant dans les propriétés résidentielles. On estime que les ventes de l'année financière se terminant le 31 décembre 1978 dépasseront les $300 millions.

Rich est également président de Nationwide Find-A-Home Service Inc. Il a déjà été président de la National Association of Realtors, la plus grande association professionnelle des États-Unis, qui compte plus de 600 000 membres. Il a également été président de l'International Real Estate Federation, section des États-Unis; président de l'Illinois Association of Realtors; président de la Grange Board of Realtors; président du Realtors Computer Service Inc.; et président du Conseil du Marketing en management du Realtors National Marketing Institute. De plus, Rich est doyen honoraire du Realtors Institute d'Illinois; président de la Rich Port Appraisal Corporation; président de la Rich Port Development Corporation; et ancien président des Certified Residential

---

*Realtor® est une marque déposée d'éligibilité collective qui ne peut être utilisée que par les professionnels de l'immobilier qui sont membres de la National Association of Realtors (association américaine de l'immobilier) et qui souscrivent à une éthique stricte.

Brokers-section du Midwest; vice-président de la Dewey Insurance Agency; membre de l'American Management Association; membre de la Chicago Association of Commerce & Industry; membre de l'Executive Club de Chicago; membre du Realty Club de Chicago; directeur de la First National Bank de Western Springs.

Parmi les activités civiques et communautaires de Rich, citons: ancien lieutenant-gouverneur du Kiwanis International; membre du conseil de la Lincoln Academy of Illinois; ancien président du Kiwanis Club de La Grange; et ancien président de la West Suburban Chamber of Commerce. Rich a également été membre du conseil de direction et directeur de la West Suburban YMCA pendant vingt ans; commandant du Robert E. Coulter, Jr, Post 1941, qui représente la Légion américaine; président général du United Fund; commandant du Military and Hospitaler Order of St. Lazarus; président régional de l'Armée du Salut et du Chicago Metropolitan Area Executive Committee; membre du comité central de l'Illinois Republican State; membre associé du Community Memorial General Hospital; directeur-adjoint de La Grange Civil Defense; commandant du Military Order of the World Wars, section de Chicago; président de l'American Cancer Society; délégué à la convention nationale républicaine en 1976; membre à vie de la National Guard Association of the U.S.; membre à vie de la Reserve Officers Association of the U.S.; membre à vie de l'University of Illinois Alumni Association. Il est également membre de l'Illini Club of Chicago et de la Zeta Psi Fraternity Alumni Association.

Rich est gouverneur à vie du Realtors National Marketing Institute. En 1964, il a été nommé le courtier de l'année pour l'Illinois. L'Illinois Association of Realtors lui a également remis le trophée des relations publiques. Il a reçu cinq premiers prix, trente deux citations et six trophées du

Realtors National Marketing Institute, à cause des idées qu'il y a apportées. L'American Salesmasters lui a remis l'Oscar du Salesmanship Award. La National Association of Realtors lui a remis une épingle à cinq diamants. Rich détient quatre désignations professionnelles remises par des instituts et sociétés de courtage et il est membre de l'International Real Estate Fraternity Lambda Alpha.

Le Kiwanis International lui a présenté le trophée de la Légion d'Honneur. En 1965, La West Suburban YMCA lui a remis le prix de l'aide à la jeunesse et en 1961, il a reçu le prix spécial de cette même organisation. Il est récipiendaire du prix de membre à vie de l'American Legion. En 1976, il a reçu le prix Alma Mater du collège St. Norbert.

Rich est né le 17 septembre 1917 à Chicago, dans l'Illinois. Il a fréquenté la Western Military Academy, l'Université de l'Illinois et le Collège St. Norbert. Il détient un diplôme B.S.

Avant de former la Rich Port, Realtor, Rich a passé six ans dans le domaine de l'immobilier comme vendeur et agent. Il a servi sous les drapeaux en Europe durant la deuxième guerre mondiale, où il a atteint le rang de lieutenant-colonel dans l'infanterie. En 1977, il s'est retiré des Réserves avec le titre de brigadier général.

Rich et sa femme, Mary Elizabeth, vivent à La Grange Park, dans l'Illinois. Mary est agent immobilier et est trésorière de Rich Port, Realtor. Leur fille, Elisabeth Anne, est mariée avec John Hallahan, qui est vice-président de Rich Port, Realtor. Les Port ont deux petites-filles, Catherine Elisabeth et Patricia Leigh.

RICH PORT

«Nous travaillons dans un domaine différent des autres, explique Rich Port. Dans la plupart des autres domaines, le vendeur peut offrir à son client un produit qui présente certaines différences avec les produits de ses compétiteurs. Mais lorsque nous vendons une propriété résidentielle, nous vendons souvent le même produit que l'acheteur peut se procurer chez l'agent immobilier de l'autre coin de la rue. Alors pour offrir quelque chose de mieux, il faut offrir un meilleur service. La clé de la réussite dans le domaine de l'immobilier, c'est le service.»

Rich Port a monté l'une des agences immobilières les plus importantes des États-Unis grâce à cette philosophie. Rich est président de Rich Port, Realtor, entreprise en pleine expansion qui compte vingt-huit bureaux dans la région de Chicago, une équipe de 375 vendeurs et des revenus dépassant les $300 millions par an. De toute évidence, cette formule du *service au client* fonctionne très bien dans son entreprise.

Rich, qui mesure 1 mètre 80 et pèse 100 kilos, aurait très bien pu faire partie des Chicago Bears pendant sa jeunesse. Son apparence et sa voix grave et autoritaire semblent le contredire lorsqu'il explique: «Nous ne disons jamais *maison* lorsque nous discutons de propriétés résidentielles; nous parlons de *foyer*. C'est un terme beaucoup plus émotif, comme le mot *maman* au lieu de *mère*.»

Et alors que vous l'écoutez parler, vous vous rendez compte qu'il emploie rarement le mot «je», mais qu'il dit toujours «nous». De plus, il l'avoue lui-même, il est un concurrent féroce («Je déteste perdre, même aux cartes»), mais il se dévoue à 100 pour cent au service de son client. Ce n'est qu'une fois que le client est satisfait que Rich se met à penser à ses propres intérêts.

«Bien sûr, qu'à la base, nous sommes intéressés, déclare-t-il. Quelle entreprise ne l'est pas? Mais si l'on pense d'abord en termes de clientèle, le reste s'ajuste en conséquence et vous faites des bénéfices. Lorsque nous avons commencé la vente de listings multiples*, l'un de nos vendeurs n'aima pas l'idée de ne plus avoir sa commission à 100 pour cent comme il y avait été habitué pour un listing exclusif. Chaque fois qu'un client venait le voir, il ne lui montrait que les maisons en exclusivité. C'était très bien de montrer nos maisons, mais pendant ce temps-là, quelqu'un d'autre avait la chance de vendre à ce client-là l'une des maisons inscrites ailleurs. Cela lui est arrivé à trois reprises en l'espace d'un mois et il a compris. Il pensait que ses clients lui étaient fidèles au point de n'acheter que de lui. Mais sa tâche et sa responsabilité, en tant qu'agent d'immeuble, c'est de trouver le foyer qui convient à son client, quel que soit le montant de sa commission.»

Rich a débuté sa carrière dans l'immobilier en 1946, après avoir passé plus de sept ans dans l'armée américaine, où il détenait le grade de lieutenant-colonel. «Lorsque je suis

---

*Les listings multiples réfèrent à un système selon lequel une propriété cataloguée par une firme peut être vendue par une autre en partageant les profits moitié-moitié.

revenu, à la fin de la deuxième guerre mondiale, explique Rich, j'ai longtemps cherché un travail. C'était une expérience tout à fait nouvelle, car je n'avais jamais vraiment travaillé dans le civil. Lorsque j'étais interviewé, on me demandait invariablement: *Qu'avez-vous fait?* et *Que savez-vous faire?* Et je n'avais rien à répondre, en dehors d'un diplôme de collège et de quelques exploits militaires. À vingt-huit ans, je n'avais aucune autre expérience réelle et les emplois disponibles pour les gens possédant mes qualifications n'étaient pas rémunérateurs. Il y avait quelques postes d'instructeurs de charge à la baïonnette ou de lutte au couteau. Un soir, j'expliquai à un ami les désillusions de la vie civile et je lui demandai conseil. Il me répondit que j'avais la personnalité d'un vendeur et que je devrais me lancer dans la vente, en m'assurant de vendre quelque chose de gros! *Si tu vends quelque chose de gros,* me dit-il, *tu es sûr de pouvoir gagner de l'argent dans la vente. Dans le cas contraire, c'est comme le nez au milieu de la figure... tout le monde en a un.*

«Après toute une nuit sans sommeil, dit Rich, les seules grosses choses auxquelles je pouvais penser, c'était des locomotives et on les fabriquait justement à La Grange. Lorsque l'usine ouvrit, ce matin-là, je fus le premier sur les lieux. Le directeur du personnel m'expliqua qu'ils n'avaient besoin de personne pour les aider à la vente de leurs locomotives. Ils n'arrivaient pas à livrer toutes leurs commandes à temps, ils n'avaient donc pas besoin de vendeurs. J'essayai d'autres compagnies et me heurtai aux mêmes problèmes de production. Finalement, j'eus une idée de génie: vendre de l'immobilier! Je lus tous les livres que je pus trouver sur le sujet à la bibliothèque et un courtier du coin accepta de me parrainer pour que je passe l'examen pour obtenir une licence. Je l'ai passé avec succès. Mais là encore, les courtiers me demandaient: *Qu'avez-vous fait?... Que pouvez-vous faire?* Cette fois-ci, je pouvais ajouter une chose à mon curriculum; en plus de mon expérience dans l'armée et de mon diplôme, j'avais une licence d'agent immobilier. Je fus complètement dégonflé quand je me suis rendu compte que, lorsque je répondais négativement à leur question: *Avez-vous déjà vendu quelque chose,* l'entrevue se terminait là. Finalement, quelqu'un me donna une chance et m'engagea comme vendeur.

«Au cours des huit premiers mois, j'avais réussi à gagner tout l'argent requis pour que notre famille puisse vivre une année complète, continue Rich. Cependant, au cours des neuvième et dixième mois, je ne vendis strictement rien et j'ai bien failli tout lâcher. J'en parlai avec mon employeur et sa seule réponse fut: *c'est un domaine bien étrange.* En fait, chaque fois que j'avais un problème, il me sortait sa phrase favorite: *C'est un domaine bien étrange.* Au cours des deux derniers mois de cette première année, je vendis trois maisons en novembre et quatre en décembre; c'est là que je me suis rendu compte que l'immobilier, c'était ce qui me convenait. Et je ne l'ai jamais regretté depuis.

«C'est par frustration que je me suis lancé à mon compte. Le courtier pour lequel je travaillais ne réussissait pas à aller aussi vite que je l'aurais souhaité. Par exemple, lorsque je me présentais quelque part et que je disais: *Je suis Rich Port, du bureau de Roger Pratt,* on me demandait: *De quel bureau?* Cela m'a convaincu d'une chose: si un jour je me lançais en affaires, pas un seul de mes agents ne se ferait demander: *Qui est Rich Port?* Et je n'avais pas du tout l'intention de répondre à un agent qui viendrait me soumettre un problème: *C'est un domaine bien étrange.* J'étais certain qu'il existait une meilleure solution.»

Rich se renverse dans son fauteuil et réfléchit. «J'ai beaucoup pensé à la façon de développer notre image dans les affaires. Nous vivions à Lyons et je me suis demandé ce qui se passerait si un agent d'assurance représentait la Compagnie d'Assurance-vie des Fermiers de Lyons, en compétition avec la Prudentielle ou la Travelers, par exemple? Il faudrait qu'il soit absolument certain que sa compagnie a la réputation de remplir toutes ses promesses. C'était une partie de l'image que je voulais projeter auprès du public, dans le domaine de l'immobilier. Pour réussir, il fallait absolument mettre au point un programme de relations publiques continu.

«Je suis ensuite entré en contact avec un courtier qui aurait pu être mon père, explique Rich. Nous avons formé une association dans laquelle nous partagerions moitié-moitié. Il accepta de s'occuper du côté administratif et je devais me charger d'organiser les ventes. C'était un homme très bien mais là encore, ce fut une expérience frustrante car j'avais envie d'avancer plus vite que lui. J'étais persuadé de pouvoir gagner 500 pour cent plus d'argent alors que lui se contentait du même revenu. Il refusait de prendre un risque et à son âge, la proportion de risque-rémunération ne justifiait pas l'expansion à laquelle j'aspirais. J'étais sûr de pouvoir faire mieux tout seul. Il me répondit que jamais je ne réussirais à faire plus que ce que je faisais avec lui. Il s'est avéré cependant que, dès la première année où j'ai travaillé seul, j'ai fait trois fois plus d'argent.

«J'avais travaillé six ans dans le domaine de l'immobilier et j'avais réussi à économiser $33 000 avec lesquels nous avons ouvert notre propre bureau», se souvient Rich.

«Nous avons commencé le 9 avril 1952, et à la fin de l'année, nous en étions au dernier $1 000. Tout était utilisé afin de créer l'image adéquate: les plus beaux meubles, les plus grandes affiches publicitaires, l'effort dans les relations publiques - tout ce qu'il fallait. C'est nous qui faisions le plus de publicité de toute la ville; pourtant nous vendions moins que les autres. Ce n'était pas l'impression que nous donnions, mais tels étaient les faits. Pour être franc, nous aurions été forcés d'abandonner si les choses ne s'étaient pas améliorer dès le début de 1953. Et cette année-là fut extraordinaire.

«Au cours des neuf premiers mois, nous avons bâti l'organisation. Nous avions six vendeurs expérimentés et à partir du premier janvier 1953, nous avons obtenu des résultats. À cette époque-là, un personnel de six employés était considéré comme un bureau important.»

En dépit des prédictions prématurées des professionnels de l'immobilier, Rich Port, Realtor gardait ses vendeurs. «Au début, nous avons décidé d'engager les vendeurs les plus instruits et les plus expérimentés dans la profession, déclare Rich. Un jour, alors que je faisais un discours sur la façon de former les nouveaux vendeurs, les professionnels me dirent que j'étais fou. Ils ajoutèrent que je formerais des vendeurs trop qualifiés pour leur propre bien. Vous voyez, je voulais qu'ils puissent s'occuper de vendre une maison du début des transactions jusqu'à la fin, sans l'aide de qui que ce soit. Nous voulions des agents réellement professionnels. Eh bien, les professionnels disaient que si nous formions des vendeurs trop qualifiés, ils nous abandonneraient vite pour aller ouvrir leur propre bureau au bout de la rue.

«Ce qu'ils me disaient en fait, c'était de garder mes vendeurs dans l'ignorance. Nos gens devaient rencontrer les clients, représenter la compagnie et pourtant, il fallait qu'ils soient stupides afin qu'ils n'aillent pas ouvrir une agence immobilière à leur compte. Ce genre de raisonnement me rendait furieux. Nous pensions que si nous étions incapables d'organiser un système qui plairait assez à nos agents pour les convaincre qu'ils étaient mieux avec nous qu'à leur compte,

c'est que quelque chose n'allait pas alors dans notre entreprise. De toute façon, s'ils devaient nous quitter, nous les
aurions au moins aider à réussir et nous serions restés bons
amis.

«C'est sur ce genre de principes que nous avons bâti notre
entreprise, dit Rich radieux, et je veux que vous sachiez que le
directeur des ventes actuel de notre bureau de La Grange
faisait partie de ce premier groupe. Il en est de même du
directeur-adjoint de la division des investissements commer-
ciaux. Les directeurs des bureaux de La Grange Park et de
Western Springs faisaient aussi tous deux partie de ce premier
groupe de six hommes. Les deux autres sont à la retraite et vivent maintenant en Floride.»

Rich vient d'une famille de professionnels. Son père était
médecin consultant. Dans sa famille, il y avait également des
avocats, des docteurs en médecine et des ingénieurs. Le fait
de grandir dans une atmosphère professionnelle a certainement beaucoup influencé Rich et son désir d'avoir une agence
immobilière bien à lui. Rich l'avoue: «J'avais bel et bien
l'intention d'être un professionnel et d'accumuler toutes les
connaissances disponibles. Un professionnel doit toujours se
limiter à s'attribuer seulement les qualités qu'ils possèdent
vraiment.»

Depuis le tout début de sa carrière, Rich a formé des gens
qui voyaient l'immobilier de la même façon que lui. Tous les
mois, les nouveaux vendeurs participent à un programme de
formation qui se tient au siège social de Rich Port, Realtor, à
La Grange. «Il n'existe aucune façon de bien fonctionner
dans ce domaine, insiste Rich, tant que l'agent n'a pas le
doigt sur le pouls du marché. Par exemple, il doit savoir où
reférer son client pour l'hypothèque et pour cela, il faut comprendre les politiques de prêts en cours et savoir qui travaille

dans le domaine des prêts hypothécaires. Il faut être au courant de toutes les politiques de financement fédérales et provinciales. Vous comprenez ainsi que connaître tous les détails du financement ne représente qu'une facette, mais très importante, de toute cette affaire.

«Bien sûr, nous enseignons à nos vendeurs les bases du métier, explique Rich, tel le nombre de mètres carrés dans un arpent. Et ils apprennent tous les détails de la construction, comme les fondations, le chauffage et la climatisation; bref, tout ce que l'on retrouve dans une maison. Mais ce n'est pas tout. Nous leur apprenons comment comprendre les gens et, ce qui est encore plus important, comment reconnaître les besoins du client. Le vendeur est celui qui résout les problèmes; il doit donc être en mesure de déterminer quels sont les problèmes de son client. Mais pour ce faire, il doit comprendre ses besoins. Par exemple, le client peut être muté. Ou alors, il peut s'agir d'un client dont la maison actuelle ne contient que deux chambres à coucher, alors qu'il a maintenant quatre enfants. Afin de vraiment bien servir le client, le vendeur doit *écouter*. Et ce n'est pas seulement la question d'écouter ce que disent le mari et la femme mais de comprendre *ce qu'ils veulent vraiment dire,* car ils ne disent pas toujours ce qu'ils veulent vraiment dire! Enfin, tout se résume à l'étude du comportement humain, à la connaissance et à la compréhension des gens.

«Pendant notre programme de formation, nous touchons presque tous les aspects de l'immobilier et de la vente en général, poursuit Rich. Nous organisons des réunions sur des thèmes comme *L'utilisation du temps, Le langage du corps, L'empathie et le client, L'automotivation, L'autodiscipline, L'établissement des buts à court et à long termes, La bonne façon de montrer une maison, La réussite dans la vente des vendeurs, Ratification d'une vente* - vous n'avez qu'à nommer un sujet et nous l'avons enseigné au cours de l'une de nos réunions. Nous croyons beaucoup à la mise en situation et à l'utilisation d'un vidéo comme techniques d'enseignement. Pour réussir, il est également important de perfectionner les qualités requises pour la vente. Ceci est surtout accompli lors des réunions à nos bureaux régionaux. Deux fois par mois, nous convoquons une réunion générale des ventes où s'entremêlent les vendeurs des équipes de nos différents bureaux. Nous avons également des réunions générales pour toute l'organisation Rich Port, Realtor. Bien sûr, il nous faut des locaux spacieux pour recevoir tous ces gens, c'est pourquoi nous tenons ces réunions à l'extérieur. Nous invitons habituellement un conférencier qui peut venir de Los Angeles, de la Nouvelle-Orléans, de Denver ou de n'importe où aux États-Unis.»

Rich insiste sur le fait qu'un agent immobilier doit s'intéresser aux affaires de la communauté dans laquelle il vit. «Je suis persuadé que si un individu doit prendre part à une communauté, il doit jouer un rôle dans cette communauté. Et il appartient à tout agent immobilier de faire de son mieux pour améliorer sans cesse les conditions de vie de sa communauté. Le vendeur qui le fait *améliore* le produit. Il rend l'endroit où il vit plus agréable à vivre aujourd'hui qu'hier. Cette amélioration fait que le vendeur se sert du modèle de l'année en cours pour vendre au lieu de celui de l'année précédente.»

Rich Port est un leader qui croit à la direction par l'exemple. «Il est difficile d'exiger de vos employés qu'ils s'impliquent dans leur communauté si vous-même ne le faites pas. Bien que nous ne demandions pas officiellement à nos employés de s'engager, les nouveaux agents le font lorsqu'ils voient les plus anciens participer aux activités de la communauté.» Rich Port est l'un des hommes les plus respectés du grand Chicago pour son dévouement aux activités civiques et charitables. Il a reçu de nombreuses récompenses et décorations tout au long de sa carrière; on retrouve un court résumé de ses implications dans la brève biographie au début du chapitre.

L'idée que se fait Rich du service au client va bien plus loin que l'immobilier. Une plaque de bronze qui lui a été dédiée récemment et qui est accrochée au mur de l'entrée du West Suburban YMCA de Chicago, dit: *Le patriotisme dévoué et dynamique de Rich Port, sa participation aux activités de la communauté et ses actes philanthropiques sont un exemple du bénévolat si important à la sauvegarde de la façon de vivre américaine.*

«Nous croyons que nos employés doivent appartenir à leur communauté dans tous ses aspects déclare Rich. De plus, nous pensons qu'une agence immobilière ne peut réellement fonctionner que si elle se trouve à proximité de la région qu'elle dessert. La distance par excellence demeure inconnue mais au-delà d'un certain point, votre efficacité diminue terriblement. Par exemple, nous avons des bureaux à La Grange, La Grange Park et à la porte voisine, à Western Springs. Il s'agit là de villages voisins situés le long de la ligne de chemin de fer du nord de Burlington au centre-ville de Chicago. Chacun de ces petits villages a sa propre personnalité et les gens du coin aiment travailler avec les gens du coin.».

Rich ne parle pas de *succursale* lorsqu'il parle d'un autre bureau. «Nous ne voulons pas donner l'impression d'une grande corporation impersonnelle, avec des petites succursales un peu partout», explique-t-il.

«Tout ce que nous faisons est structuré de façon à offrir le meilleur service possible, insiste Rich. C'est la règle du jeu.

Un merveilleux exemple de ce que signifie le *service* dans l'immobilier, c'est June Hofmann. Elle a toujours été l'un de nos meilleurs agents et elle dirige maintenant le bureau de Clarendon Hills. June travaille avec nous depuis vingt-trois ans et elle a toujours réalisé ses ventes par référence. Nous croyons qu'elle pourrait s'installer en haut du château d'eau de Western Springs et qu'elle réussirait quand même, car les gens iraient la chercher jusque-là. Je me souviens d'un exemple en particulier où elle avait vendu une maison; le client était tellement satisfait qu'il lui a envoyé sept autres clients et l'un de ceux-ci lui en a référé neuf de plus.

«Il arrive souvent à June de recevoir un appel de l'un de ses acheteurs satisfaits (maintenant des amis) et qui lui dit: *June, j'ai un ami qui vient d'être transféré de Cincinnati et je me demandais si vous et John pourriez venir souper demain soir.* June et John se présentent mais avant même qu'ils franchissent la porte, ce couple de Cincinnati a été convaincu de s'installer à Western Springs. L'hôte a également énuméré toutes les qualités et qualifications de June, la capacité qu'elle a de tout organiser et le nouvel arrivant est persuadé qu'il n'existe pas de meilleure agence que la Rich Port, Realtor. Après quelques minutes de discussion avec le nouveau couple, June a une image complète de ce qu'ils désirent acheter. Dans la plupart des cas, il lui suffira de leur montrer une ou deux maisons et elle ne pourra rien faire pour empêcher les gens d'acheter la propriété. Tout cela parce qu'elle a su analyser correctement leurs besoins et qu'elle sait exactement ce qui leur convient.

«Voulez-vous connaître le secret de June? Et Rich rayonne de fierté. *Elle submerge le client de ses services!* C'est vrai; elle les submerge de petits services, *même après qu'ils ont acheté la maison.* Par exemple, elle veillera à ce que l'eau soit branchée. S'il faut donner un dépôt parce que l'ancien propriétaire l'a fait couper, elle fera ce dépôt. Elle fera installer le téléphone. June connaît toutes les réponses, y compris le nombre d'élèves par professeur dans chacune des classes de l'école et souvent, elle appelle les professeurs par leur prénom. Elle dit aux gens exactement - à un cent près - combien il leur en coûtera pour acheter un billet d'un mois pour le train de banlieue. *Et ce n'est qu'à dix-neuf minutes du centre-ville, à bord du train le plus rapide,* peut-elle dire au client. June préparera un petit cadeau que les gens trouveront à leur arrivée dans leur nouvelle demeure. Pour leur première journée de nouveaux propriétaires, June s'arrangera pour leur faire livrer un repas. Ou bien, connaissant très bien les désagréments d'un déménagement, elle peut les inviter à souper chez elle. Elle veillera à ce qu'ils fassent partie du Club des nouveaux arrivants. Elle appellera à l'église de leur culte pour dire: *Vous avez de nouveaux paroissiens. N'oubliez pas d'aller les rencontrer.* Nommez n'importe quoi, déclare Rich, et June y a pensé. June aide la famille à s'adapter à sa nouvelle communauté.

«Bien sûr, elle est comme ça. Elle est du genre à faire du pain et à en porter un chez la voisine. June fait tout cela avec sincérité et amitié. Elle aime rendre service, c'est pourquoi elle n'a jamais eu le temps de travailler autrement que sur référence. Comme je vous le disais, on se l'arrache. C'est un honneur pour un client que d'avoir la chance de traiter avec elle. Le bon vendeur rend tellement service que l'acheteur éventuel aura honte de négocier avec quelqu'un d'autre.

«Ma définition de la personne réellement professionnelle dans le domaine de l'immobilier, proclame Rich, c'est l'individu qui ne vivra pas des *opportunités.* Par *opportunités,* j'entends tout ce qui se présente au vendeur lorsqu'il reste dans le bureau pour recevoir les visiteurs qui entrent ou qui téléphonent pour acheter ou vendre une propriété. Lorsque le vendeur travaille sur référence, on estime qu'il conclut la vente dans deux cas sur trois. D'un autre côté, le vendeur qui attend au bureau et qui dépend des affiches placées sur les maisons, de la publicité, des gens qui entrent au bureau et des coups de fil, ne ratifie qu'une vente sur dix ou même vingt.»

Rich pense que le véritable professionnel dispose de quatre facteurs en sa faveur lorsque la personne vient le voir sur référence. «Premièrement, c'est que l'acheteur l'accepte déjà comme vendeur. Bien sûr, c'est grâce à l'effort de vente d'une tierce partie. Deuxièmement, l'acheteur éventuel est persuadé que l'agence immobilière est entièrement qualifiée pour bien s'occuper de lui. Troisièmement, le couple a déjà arrêté son choix sur l'endroit où il désire vivre. Quatrièmement, il accepte le produit; dans le cas présent, la maison. Maintenant, si la référence est bonne, quelqu'un a dit à cet acheteur: *Tu ne peux pas acheter une maison sans traiter avec June Hofmann. Elle travaille chez Rich Port, Realtor, et il n'y a pas de meilleure agence que celle-là dans tout Chicago. Et si tu veux mon avis, le meilleur endroit pour vivre, c'est Western Springs. C'est là que nous vivons et que mes parents nous ont élevés; c'est l'endroit par excellence!* Lorsque l'acheteur se présente, la seule chose qu'il reste à faire au vendeur, c'est de répondre à ses besoins en lui procurant une maison. Si le vendeur sait écouter et observer les réactions, la vente est facile.

«On n'insistera jamais assez sur l'importance que le vendeur doit accorder à la compréhension du client, poursuit Rich. Bien souvent, il y a une énorme différence entre ce qu'il dit et ce qu'il veut dire. N'oubliez pas que l'achat d'une maison est un processus émotif et que les gens ne disent pas toujours ce qu'ils veulent dire. Il faut que le vendeur écoute très attentivement. Il doit aussi savoir qu'il ne sera pas en mesure de répondre aux besoins de ses clients à cent pour cent; il doit donc essayer de faire de son mieux afin d'adapter la maison aux exigences de l'acheteur et de la réalité. Lorsque le vendeur fait visiter une propriété, il doit ensuite s'asseoir avec le mari et la femme et demander: *Eh bien, à quel point cette maison se rapproche-t-elle de ce que vous désirez?* S'il a une bonne relation de travail avec eux, ils répondront: *On aimerait bien avoir une salle familiale un peu plus grande, un jardin plus vaste ou on préférerait habiter plus près des écoles.* Après avoir travaillé un peu ensemble, ou bien le vendeur comprend le problème et les besoins et exigences de ses clients, ou bien la relation ne s'établit pas et les clients iront voir ailleurs.

«Il y a plusieurs années, se remémore Rich, Mary et moi avions décidé d'acheter une maison sur le bord du lac Wisconsin. Nous sommes allés voir un agent immobilier et lui avons dit que nous ne voulions pas être trop loin de l'eau et que la maison devait se trouver sur un terrain plat. Nous voulions aussi une belle véranda. On recherchait un endroit pour nous étendre et relaxer et le portique était important. Eh bien, croyez-le ou non, dans la première propriété qu'il nous montra, il y avait soixante-trois marches pour aller au bord de l'eau et il n'y avait pas de véranda. Il nous en montra ensuite quelques autres, mais elles n'étaient pas mieux. Ce n'est pas que nous étions trop difficiles. Il nous importait peu qu'il y ait deux ou six chambres à coucher et la pièce familiale n'était pas une priorité. Nous voulions seulement ce portique et pas de marches. Je lui dis: *Charley, vous êtes un gars formidable mais vous ne nous montrez pas ce que nous avons envie d'acheter. Vous ne comprenez pas ce que je veux dire, alors nous allons le revoir ensemble.*

«À vrai dire, dit Rich en soupirant, si je n'avais pas été dans le domaine... L'acheteur type aurait juré: *Cette espèce d'imbécile, il ne sait donc pas ce qu'il fait. Allons en voir un autre.* De toute façon, le vendeur doit se plier aux exigences de l'acheteur. Il devrait écouter attentivement et inscrire tous les détails et après avoir montré une propriété, il devrait demander: *Est-ce que c'est ce genre de maison que vous désirez?* Encore là, il doit savoir qu'il ne réussira jamais à donner entière satisfaction au client, tant au niveau du coût qu'au niveau du goût. Jamais il ne trouvera la maison parfaite. Il faut faire certaines concessions.

«Le vendeur devrait éprouver une très grande satisfaction en aidant une famille à trouver une demeure. Ce n'est que dans ces conditions qu'il est un véritable agent immobilier. Mais, je le répète, le vendeur doit avoir un vif désir de rendre le couple heureux. Il devrait être content de savoir qu'il a réussi à résoudre les problèmes de ces personnes en ce qui concerne l'endroit où elles vont vivre, élever leur famille et donner une bonne éducation à leurs enfants.

«Bien sûr, il n'est pas toujours facile pour l'homme et la femme de prendre une décision, surtout lorsqu'ils voient plusieurs propriétés. Le vendeur devrait donc s'asseoir avec eux et faire une liste de tous les points négatifs et positifs des maisons en question. Il peut dire: *Avez-vous aimé la salle familiale dans celle-ci? La cour est-elle comme celle que vous recherchez? Ici, j'ai énuméré tous les avantages qu'offre cette maison. Voici ce qu'elle peut vous apporter.* Je pense qu'il est important de les guider, mais la maison doit se vendre d'elle-même. Il ne faut pas créer de pression auprès du client. C'est là une chose dangereuse et inutile dans l'immobilier.»

Après un court arrêt, Rich ajoute: «Il arrive parfois que vous écoutiez attentivement le couple vous dire ce qu'il veut et que vous trouviez la propriété idéale. Habituellement, vous leur montrez plus d'une maison, afin qu'ils aient le choix. Un seul choix n'est pas du tout un choix, n'est-ce pas? Vous pouvez très bien avoir la surprise de les voir acheter l'autre au lieu de celle que vous vous attendiez qu'ils achètent.»

Rich sourit chaleureusement alors qu'il ajoute: «Jusqu'à présent, je n'ai parlé que de l'acheteur, mais le listing d'une propriété fait également partie du travail dans l'immobilier. Au début de ma carrière, il m'a fallu presque deux ans pour bien comprendre cela. L'agent qui établit une bonne relation avec son client, le vendeur, s'aperçoit très vite qu'il s'agit en fait de la relation la plus agréable qui soit dans le monde des affaires. Vous devriez la considérer comme une association. L'agent doit comprendre ce que le vendeur désire. Bien sûr, le vendeur veut avoir le meilleur prix possible pour sa maison et dans le plus bref délai possible. Le but de l'agent devrait être le même que celui du client. Tous deux doivent trouver le meilleur moyen d'atteindre ce but. L'agent et le vendeur doivent travailler ensemble et cela requiert une certaine collaboration de la part du propriétaire. Il doit accepter que l'on fasse visiter sa maison même en des moments qui ne lui conviennent pas. La femme devra faire son possible pour que la maison se présente toujours sous son meilleur jour. Il faudra peut-être sortir le piano à queue du petit salon, ou peut-être faudra-t-il replanter un arbuste sur la pelouse en avant ou encore refaire un peu de peinture. Il est également important que le vendeur accepte de faire placer la pancarte *À vendre* devant sa maison car dans la plupart des régions, c'est ainsi que l'on trouve 10 à 19 pour cent des acheteurs.

«C'est un effort commun que doivent fournir le vendeur et l'agent; l'agent doit convaincre le vendeur d'accepter un prix réaliste et de renoncer au système de la baisse graduelle. Dans ce système, la maison est mise sur le marché à un prix dépassant la valeur réelle et peu à peu, le propriétaire s'en aperçoit et le baisse jusqu'à ce qu'il devienne raisonnable. Pour être franc, ce n'est qu'à ce moment-là qu'il devient intéressant

144

pour l'agent d'intervenir. L'agent ne gagnerait pas sa vie s'il ne travaillait que sur des maisons surestimées. La clé de la réussite, dans ce domaine, c'est de penser en termes des meilleurs intérêts pour le vendeur, l'acheteur et l'agent, en fixant un prix qui soit aussi réaliste que possible.

«La méthode que nous utilisons chez Rich Port, Realtor est la suivante: nous demandons à plusieurs de nos employés d'aller visiter la maison et de nous donner leur opinion autonome de la valeur marchande de cette propriété. Puis nous déterminons les quatre propriétés les plus ressemblantes qui se sont vendues récemment dans le quartier. Il faut comparer des pommes à des pommes et faire les petits ajustements qui s'imposent. Puis nous définissons un prix maximal. Nous qualifions ensuite la maison en posant onze questions et au moins neuf des réponses doivent être affirmatives. Nous faisons une liste des particularités qui sont intéressantes et une liste des détails qui peuvent être nuisibles. Peut-être se trouve-t-elle loin des écoles ou donne-t-elle sur un garage. Quels que soient les points positifs et négatifs, nous les inscrivons; ceci nous permet de les comprendre et de préparer le plan de la vente. Nous examinons ensuite tous ces renseignements et nous nous posons les questions suivantes: *Pensez-vous qu'elle va se vendre? Quel est le prix le plus bas que nous puissions accepter?* Disons que ce soit $55 000.

«Supposons maintenant que monsieur Bonhomme se présente. C'est l'acheteur qui aime cette maison. Il y a une moquette beige et il adore la moquette beige. Il aime faire de la photographie et il y a une chambre noire. Il y a toujours eu un chêne dans le jardin de son père et il en veut un. *Il y a* un chêne dans le jardin. Sa femme cultive des roses et il y a vingt-cinq beaux rosiers devant la maison. Quel est le prix que monsieur Bonhomme acceptera de payer pour cette propriété: $60 000? Il nous faudra peut-être attendre deux ans avant que monsieur Bonhomme ne se présente mais il faut donner la chance au vendeur de justement trouver monsieur Bonhomme. Bien que nous arrivions à un chiffre de $57 500, ce chiffre est à mi-chemin entre le prix le plus bas que nous puissions accepter et le prix que paiera monsieur Bonhomme. Rien ne nous empêche d'accepter $60 900 ou $61 500. C'est une tradition de toujours fixer un prix un peu plus élevé que le prix maximal, car l'évaluation n'est pas une science exacte.»

Rich ajoute avec sérieux: «L'un des plus grands problèmes que nous ayons lorsque nous fixons un prix, c'est que le vendeur se laisse souvent dominer par ses émotions. Il se peut qu'il ait été guidé par ses émotions lorsqu'il a acheté la maison et il tente de s'en justifier maintenant qu'il veut la vendre. Il voit sa maison comme une mère voit ses enfants. Vous ne pouvez convaincre une mère que son enfant est sans beauté et vous ne pouvez convaincre un propriétaire que sa maison est la plus laide du quartier. Les propriétaires sont les personnes les moins qualifiées pour établir le prix de vente.

«Un ami pourrait m'appeler de Pittsburgh, explique Rich, pour m'annoncer que sa maison est en vente depuis un certain temps et qu'elle n'est toujours pas vendue. La première question que je lui pose, c'est la suivante: *Votre maison est-elle différente des autres?* Si sa réponse est négative, je lui demande alors si des maisons semblables à la sienne sont à vendre. S'il me répond: *Oui, il y en a une au coin de la rue qui vient de se vendre, et une autre, et ainsi de suite...*, je peux analyser le problème et lui dire: *Votre prix est probablement trop élevé.* Certains propriétaires me font penser à cet homme qui se rend chez son médecin à cause d'une horrible douleur dans le côté. Le médecin l'examine et lui déclare: *Votre appendice est sur le point de se rompre. Nous devons vous opérer.* Et le patient lui répond: *Sottises! J'ai la rougeole.*

C'est parfois une attitude semblable que l'agent d'immeuble doit combattre chez un propriétaire émotif. L'agent vraiment professionnel réussira à le convaincre qu'il faut fixer un prix aussi réaliste que possible et qu'on ne peut y arriver de façon émotive ou illogique.

«Dans certains quartiers où des douzaines de maisons semblables à celle du client se sont vendues récemment, il est possible de sortir le livre des comparaisons du quartier et les lui montrer en disant: *Jetez un coup d'oeil sur les ventes conclues au cours des deux derniers mois et dites-moi combien vaut votre maison.* Il y a de fortes chances pour que le propriétaire fixe un prix assez réaliste. Il n'y a aucun mystère. Les ventes les plus récentes demeurent encore le meilleur critère d'évaluation.

«Cependant, s'il ne s'est rien passé en l'espace de deux semaines, le professionnel n'ira pas appeler le propriétaire pour lui dire que son prix est trop haut et qu'il faudrait le réduire. Si le prix a été fixé de façon réaliste, la propriété doit se vendre près du prix fixé; c'est comme si vous achetiez un pain ou un litre de lait chez l'épicier - vous ne faites pas une offre à votre épicier. Vous payez le prix demandé et c'est ce qui se passerait dans l'immobilier si c'était une science exacte; mais tel n'est pas le cas! Il existe trop d'agréments qui peuvent en augmenter la valeur; c'est pourquoi l'estimation joue un grand rôle lors de l'évaluation. Mais si l'on y pense bien, c'est l'acheteur qui dépense son argent; c'est donc lui qui décide du prix réel. Il peut très bien dire: *Je ne donnerai pas plus de $56 000 pour cette maison!* Notre agent va voir le propriétaire pour lui dire que la meilleure offre est de $56 500. Le propriétaire peut y réfléchir et répondre: *D'accord. J'accepte. Je suis prêt à signer le contrat.*

«Savez-vous quel est le secret lorsqu'on travaille avec un propriétaire? Lorsque l'agent a mis la propriété sur le marché à un prix réaliste, il doit rester en communication constante avec le propriétaire. Lorsque vous rencontrez un propriétaire frustré et mécontent sur le marché, c'est parce qu'on ne l'a pas informé de ce qui se passe dans la vente de sa maison. C'est habituellement une mauvaise communication. Le client propriétaire ne devrait jamais, et je répète, jamais avoir à appeler l'agent si ce dernier fait bien son travail. Un agent immobilier professionnel reste en communication constante avec le vendeur. Il l'appelle pour lui dire ce qui se passe. *Nous avons reçu l'approbation de l'hypothèque sur votre maison, ce matin. Nous pouvons obtenir tant de dollars sur tant d'années.* Il peut peut-être rappeler au cours de la journée pour dire: *Ce client qui est venu visiter votre maison hier, je ne pense pas qu'il achète; mais nous avons quelqu'un d'autre demain. Je vous suggère de laisser les lumières allumées dans le salon, celles qui se trouvent sur les tables basses. Est-ce qu'à vingt heures, ça vous convient?* Si l'agent n'a rien à dire, c'est que quelque chose ne va pas - cela signifie qu'il ne fait rien. *Aujourd'hui, nous avons soumis votre maison au service de listing multiple. Demain, un photographe passera prendre des photos.* Ou bien, il peut appeler pour dire: *J'ai rédigé une annonce hier. J'aimerais avoir votre avis avant de l'envoyer. Un évaluateur doit passer mercredi, aux environs de quinze heures.* Le secret, c'est de rester en communication fidèle avec le vendeur pour lui laisser savoir ce qui se passe. L'agence immobilière a beaucoup plus de travail à faire sur la vente d'une maison que les gens ne se l'imaginent. *Et ça, c'est parce que personne ne le leur dit!* Bien sûr, l'agent peut faire son travail et tout garder pour lui, mais il retrouvera un vendeur mécontent qui hurlera: *Ma maison n'est pas encore vendue. Mon agent ne vaut rien.*

«Le professionnel n'aura jamais un client contrarié, insiste Rich, car il communique toujours avec lui. Nous disons au public que nous sommes capables de vendre des maisons.

Lorsque nous ne réussissons pas et que l'inscription expire, nous avons échoué. L'image de notre entreprise en est ternie. Le vendeur est malheureux et il le dira à ses amis et voisins. Les courtiers en général prennent du recul dans leur effort pour donner un service professionnel. Cela nuit à la profession au complet parce que nous n'avons pas réussi à faire notre travail. Lorsque vous prétendez, en public, que vous êtes capable de faire un certain travail et que vous ne le faites pas, vous faites un grand tort à votre réputation. Et si vous avez plusieurs inscriptions qui arrivent à expiration sans que les maisons aient été vendues, c'est comparable à l'avocat qui perd ses causes en cour. Ou comme le médecin qui perd ses patients sur la table d'opération. Le directeur du personnel de l'hôpital ne tardera pas à lui dire: *Docteur, vous n'êtes pas vraiment qualifié, et nous devons limiter votre pratique.* Vous devez absolument faire ce que vous prétendez être capable de faire auprès du public!»

Récemment, Rich Port a envoyé le bulletin suivant à tous les employés de Rich Port, Realtor: «Il est facile de qualifier certains des clients mécontents de trop exigeants. En de rares occasions, cette qualification est probablement justifiée mais le client n'en reste pas moins le client. Si nous sommes de véritables professionnels, nous devons savoir comment négocier avec tous les clients, y compris ceux qui semblent plus exigeants.»

Actuellement, Rich Port, Realtor réussit à vendre 96 pour cent de toutes les propriétés en vente selon les termes des inscriptions dans une période de 90 à 120 jours. C'est un excellent résultat si l'on considère que les statistiques nationales font état d'une moyenne de 50 à 60 pour cent. «J'ai vu des agences qui annonçaient fièrement qu'elles réussissaient à vendre 65 pour cent des maisons qui leur étaient confiées. Rich grimace. Cela signifie que 35 pour cent de leurs clients sont morts sur la table d'opération. Je ne voudrais certainement pas publier de tels résultats!»

Rich soutient que la plus grande partie de la réussite de son agence, en ce qui a trait au pourcentage élevé des ventes, tient du fait qu'ils évaluent avec soin chacune des propriétés avant de l'accepter en inscription. «Si quelqu'un vient nous voir avec une maison construite en plein désert, nous y pensons deux fois avant de l'inscrire. Admettons que le vendeur ne savait pas quoi faire de son argent et qu'il ait posé des poignées de porte en or, des baignoires en marbre et une douzaine de foyers dans la maison. Cela n'a aucune importance! Car peu nombreux sont ceux qui désirent vivre dans le désert. Le prix idéal est basé sur ce que les acheteurs types sont prêts à payer, et non pas sur la valeur de la brique et du mortier. C'est aussi ce que les acheteurs sont prêts à payer pendant une période normale de vente. Si l'agent sait que la maison est trop chère pour ce qu'elle vaut et que l'inscription expirera avant qu'il ait réussi à la vendre, que son client en sera mécontent, il doit refuser l'inscription. Il peut y avoir, quelque part, quelqu'un d'autre de plus qualifié pour vendre cette maison. C'est comme le médecin qui déclare à son patient: *Je ne suis pas qualifié pour faire cette opération; vous devrez aller voir ce cardiologue à Houston, dans le Texas.*

«Un autre bon exemple est celui de cet homme qui vient d'acheter une maison pour $50 000 et qui a mis pour plus de $30 000 de réparations. La maison se trouve dans un pâté de maisons à $50 000 et lorsqu'il se décide à la vendre, il n'aura jamais ses $80 000 si les autres maisons n'augmentent pas en même temps. Là encore, c'est une question de communication. L'agent doit lui expliquer qu'il y a eu trop de réparations sur la maison et qu'il sera impossible de récupérer tout l'argent investi, dit Rich en souriant. C'est le cas de ma maison. Nous avons dépensé un montant fou en rénovations et nous avons maintenant la maison la plus dispendieuse du quartier. Par conséquent, notre maison ne sera jamais aussi appréciée que si elle était située dans un quartier différent.»

De nombreuses décisions prises par Rich Port, Realtor sont basées sur les statistiques que cette agence a accumulées au cours des années. «Nos statistiques indiquent, explique Rich, que si l'agent travaille sur des maisons dont le prix a été fixé à cinq pour cent au-dessus de la valeur marchande, il travaille à un taux horaire de peut-être soixante dollars l'heure. Si le prix de la propriété est de dix pour cent supérieur à la valeur réelle, il travaille à vingt dollars l'heure. Si le pourcentage monte à quinze ou vingt pour cent, il ne travaille plus qu'à six dollars l'heure. En d'autres mots, ses revenus peuvent être dix fois supérieurs s'ils travaillent sur une maison dont le prix a été établi de façon réaliste. Le temps est ce que l'agent a de plus précieux. Par conséquent, la façon dont il l'économise est importante à la réussite de ses affaires.

«Il y a tellement d'agents qui ne savent pas tirer le meilleur parti possible de leur temps, et je pense que tout ce qu'on fait dans les affaires doit être adéquatement relié au temps requis pour en obtenir les meilleurs résultats. L'agent moyen passera rarement deux heures, dans une journée de huit heures, face à face avec le vendeur ou l'acheteur. Lorsqu'on y pense bien, seulement vingt-cinq pour cent d'une journée de huit heures peuvent se traduire par un revenu, c'est pourquoi les médecins sont capables de gagner des revenus si élevés. Ils voient un patient après l'autre, et la salle d'attente est toujours remplie de gens. Lorsqu'un patient sort, un autre entre et ça continue pendant la plus grande partie de la journée. Dans l'immobilier, et je suppose que c'est la même chose dans la vente en général, le prochain client peut être loin. L'agent peut avoir à aller rencontrer l'acheteur à l'aéroport, ou bien il lui faut une heure avant de se rendre jusqu'à la propriété. Il faut beaucoup de déplacements et de recherches entre chacune des présentations.

«Par exemple, une chose aussi insignifiante que de conduire pour aller au bureau tous les matins peut être mise à profit. Nous disons à nos agents de ne pas emprunter le même chemin chaque jour. Ils doivent passer par des routes différentes afin de savoir ce qui se passe dans le coin. Ils doivent regarder autour d'eux pour voir s'il n'y a pas de nouvelles constructions ou si une maison ne vient pas d'être mise en vente. Et rien ne les empêche de s'arrêter pour dire bonjour à un ami qui peut être en train de tondre son gazon.

«Je me rappelle d'être aller travailler un jour et un nouvel agent était assis à son bureau et regardait par la fenêtre. Quelques minutes plus tard, il regardait toujours par la fenêtre. Je lui ai demandé ce qu'il faisait et il m'a répondu: *Rien. Il n'y a rien à faire.* Je lui ai dit: *Dans ce cas, restez où vous êtes, je reviens dans cinq minutes.* Je suis revenu quelques minutes plus tard avec une liste des *24 choses à faire lorsque vous pensez qu'il n'y a rien à faire.* Cela a sûrement produit l'effet désiré puisqu'il fait encore partie de notre personnel. Des copies de cette liste sont données à nos nouveaux vendeurs encore aujourd'hui. La personne qui sait disposer de son temps convenablement peut tout faire. Cela me renverse de voir un agent en train de discuter de la pluie et du beau temps, de la partie de balle de la veille, de la démonstration qu'il a faite l'autre jour ou de la façon d'éliminer un concurrent. Le professionnel a toujours plus à faire qu'il ne peut en accomplir.»

Rich Port est un homme qui sait gagner du temps au travail et qui adore son métier. «Je me souviens qu'il n'y a pas tellement longtemps, Mary m'a suggéré de prendre le dimanche de congé.» Rich hausse les épaules. «Un dimanche matin, je lui ai demandé: *Eh bien, trésor, qu'est-ce qu'on fait mainte-nant?* Elle me dit que la haie avait besoin d'être coupée, alors je suis allé la couper. Puis je lui demandai: *Et maintenant?* Elle me conseilla de lire les journaux, et je les ai lus. Puis je lui demandai: *Et maintenant?* Sa réponse? *Pour l'amour du ciel, retourne à ton fameux bureau!* J'ai pris une douche, je me suis changé et j'y suis allé. J'étais malheureux de ne pas savoir ce qui se passait dans mon bureau alors que les autres travaillaient. Il *fallait* que j'y sois. Je sais que des gens réussis-sent dans les affaires d'une façon différente, mais je ne sais pas comment. Mary m'a énormément aidé à bâtir notre agence. Il faut vraiment que la femme collabore, qu'elle com-prenne et qu'elle se sacrifie pour tolérer les conditions de travail et les frustrations rattachées à l'immobilier. De plus, les extravertis avec des superegos et les hauts et les bas classi-ques de l'agent ne sont pas faciles à accepter.

«Nos bureaux sont ouverts sept jours par semaine, à l'exception des congés comme Noël et l'Action de Grâces. Mais tous les agents ont une clé du bureau et peuvent s'y ren-dre n'importe quand. On ne doit pas oublier que les agents travaillent rarement plus fort ou plus longtemps que le directeur des ventes.

«C'est comme l'a dit Vince Lombardi: *C'est ce petit effort supplémentaire, ce dévouement total.* J'appelle souvent mes agents des *vérificateurs de température.* Ils veulent avoir des contrats... ils vont jusqu'au rivage, se mettent le pied dans l'eau pour voir si elle est chaude ou froide et ils regardent d'où vient le vent. L'individu réellement ambitieux ne vérifie pas l'eau. Il se jette dedans et se mouille des pieds à la tête. Il va jusqu'au bout. Il rassemble tous les faits. Il fait cuire son gâteau immédiatement avec tous les ingrédients requis. La plupart des gens connaissent les ingrédients de la réussite. La seule chose, c'est qu'ils ne sont pas prêts *à en payer le prix,* c'est tout!»

Rich ne néglige aucun détail dans les affaires, aussi petit soit-il. Lorsqu'il était lui-même agent, il ne stationnait jamais sa voiture devant la maison lorsqu'il arrivait avec un client. «J'allais me garer au coin de la rue, car il est très important qu'un acheteur voit la maison pour la première fois sous son meilleur angle. Vous savez, c'est ce qu'on appelle la première impression.» Il sourit. Rich s'est toujours fait un devoir de noter le nom des enfants du client, *et même celui du chien!* «Disons que le chien s'appelle Sparks. Lorsque j'y retourne pour la deuxième fois, j'appelle le chien par son nom. J'apprécie beaucoup quand les gens sont gentils pour mon chien et l'appellent par son nom.»

Autre chose que Rich faisait toujours lorsqu'il était agent, c'était d'avoir la liste de quatre personnes intéressées à l'achat des maisons qu'il leur avait fait visiter. «Si je n'avais pas quatre acheteurs potentiels, dit-il, je faisais de mes pieds et de mes mains pour trouver immédiatement des personnes intéressées à visiter mes inscriptions. C'est la meilleure façon d'éviter un creux financier.»

Lorsque vous pénétrez dans les bureaux de Rich Port, Realtor, vous vous sentez bien, car l'atmosphère y est calme et chaleureuse. Pas de meubles en acier; chaque bureau est doté de meubles style maison et on trouve des magazines populaires sur la table à café. «Le couple type, explique Rich, commencera par choisir la banlieue où il veut vivre. Puis il décidera d'aller y faire un tour un dimanche après-midi. La femme parlera peut-être aux habitants de l'endroit ou bien ils consulteront les journaux locaux. Il se passera beaucoup de choses différentes avant qu'ils ne se décident à aller dans une agence. Ils peuvent même avoir un peu peur de ce qui va se passer. Je crois qu'il est très important que l'agent les mette à l'aise rapidement. C'est pourquoi nos bureaux sont décorés dans un style chaleureux, amical et familier. Nous leur offrons un café. S'ils viennent nous voir un soir d'hiver, nous les faisons entrer dans l'un des bureaux où pétille un bon feu de bois. En décembre, l'arbre de Noël sera allumé. Ce que nous voulons, c'est que les gens se sentent ici comme chez eux.»

Rich est toujours à la recherche de nouvelles idées. Il n'hésitera pas à en emprunter une, à la raffiner peut-être un peu et à la mettre en pratique. (L'une de ces bonnes idées lui est venue d'une lettre officielle du président d'une compagnie aérienne.) Son motif premier est toujours de trouver de nouvelles façons d'attirer et de mieux servir le client.

L'une des meilleures sources d'idées de Rich découle de son implication dans diverses activités de l'immobilier. Dans ce domaine, Rich est l'un des individus les plus actifs aux États-Unis, comme le témoigne sa participation sans précédent aux associations régionales, fédérales et nationales (voir sa biographie au début du chapitre). «Si je peux trouver une idée dans un lave-auto, imaginez un peu tout ce que je peux apprendre en parlant avec les gens qui travaillent dans le même domaine que moi, un peu partout dans le pays», dit-il en plaisantant. Puis il ajoute d'un ton sérieux: «L'immobilier m'a toujours été très favorable et en m'impliquant dans ses activités, j'ai la chance de partager quelque peu les joies que m'apportent les affaires. Tant que je pourrai apporter ma contribution, je demeurerai actif.»

7

Edna Larsen

Avon

*«Un mélange de bonnes habitudes de
travail et d'auto-discipline...»*

Edna Larsen est considérée comme la meilleure représentante Avon en termes de service constant aux clients et de
réalisations, si l'on tient compte du fait qu'il y a environ
975 000 représentantes vendant les produits Avon directement aux clients aux États-Unis et dans vingt autres pays.

Edna a commencé à vendre les produits Avon en novembre
1958, alors qu'elle et sa famille ont déménagé à North St.
Paul, dans le Minnesota, où ils vivent encore aujourd'hui.

Comme tous les représentants Avon, elle travaille à son
propre compte, dans son commerce à elle. Alors que les
représentants travaillent habituellement pendant leurs
moments de loisirs pour se faire un revenu d'appoint, Edna
consacre de longues heures au service de ses nombreuses
clientes qu'elle appelle affectueusement *mes filles*.

Au cours des années, Edna a reçu toutes les récompenses
offertes par la compagnie, y compris un ensemble de salle à
manger, un stéréo, un manteau de fourrure et un voyage à
Hawaï.

Née à Parkers Prairie au Minnesota, elle est maintenant représentante Avon d'une très grande partie de North St. Paul, où son mari, Harold, est employé à la maintenance pour la commission scolaire de North St. Paul.

Les Larsen ont trois filles mariées: Janice Nelson, Patricia Ciresi et Katherine Larsen (qui a épousé un homme portant le même nom de famille qu'elle) et quatre petits-enfants: Brent, Bradley, Beth et Dawn. Tous habitent tout près et aident Edna à faire ses courses pendant qu'elle visite ses clientes.

En tant que représentante Avon, femme au foyer, mère de famille et grand-mère, Edna est une femme très occupée. Mais elle trouve toujours le temps de lire la Bible.

«Je ne suis qu'une ménagère bien ordinaire, insiste Edna Larsen. Je le dis toujours à mes filles lorsque Avon offre une aubaine, car je sais combien j'aime économiser et je suis sûre qu'il en va de même pour elles.»

Bien qu'Edna pense qu'elle n'est qu'une ménagère ordinaire, elle n'est certainement pas une vendeuse ordinaire. Elle est considérée comme la meilleure représentante par Avon Products, Inc., entreprise aux revenus de $1,4 milliards dont les cosmétiques, les parfums et les bijoux sont vendus par environ 975 000 personnes à travers le monde. Se classer la meilleure sur un nombre aussi impressionnant de vendeurs directs indépendants fait d'elle un *individu extraordinaire*.

Edna a commencé à vendre les produits Avon en novembre 1958, immédiatement après avoir déménagé de Carlos, Minnesota à North St. Paul. «La première journée que nous avons passée dans notre nouvelle maison, nous étions dans une confusion totale. Pendant que nous déballions, une représentante Avon est venue frapper à la porte, se souvient Edna. Elle me dit que ma cousine m'avait recommandée comme éventuelle représentante Avon parce qu'elle était désolée de savoir que j'arrivais dans une ville où je ne connaissais personne. Ma cousine craignait que je me sente seule et que je m'ennuie alors qu'en vendant des produits Avon, je pourrais

EDNA LARSEN

faire la connaissance de bien des gens. De toute façon, c'est ainsi que j'ai commencé et je n'ai jamais cessé de vendre depuis.»

Aujourd'hui, l'horaire trépidant et surchargé d'Edna peut à peine être qualifié d'ennuyant. Edna a toujours foncé à 175 km/heure depuis qu'elle a commencé son commerce Avon. Et elle ne se sent sûrement pas isolée, comme l'avait cru sa cousine. «Mon mari, Harold, s'occupe de l'entretien à l'école de North St. Paul, dit-elle, ce qui fait que tous les enfants de la ville le connaissent. Ils l'adorent, et tous l'appellent Lars. En plus, ils m'ont tous vue chez eux, quand je suis allée voir leur mère ou leurs soeurs, ce qui fait que lorsque nous marchons dans les rues de North St. Paul, petite ville qui compte environ 12 000 habitants, on est un peu comme des vedettes. Tous les enfants se précipitent vers nous pour nous dire bonjour.

«Je me souviens d'un jour où Harold était venu me chercher chez une cliente et qu'un petit garçon me vit monter dans la voiture. Il était tellement excité qu'il s'est mis à crier à sa mère: *Hé! maman, Lars est en train d'enlever madame Avon!*»

Edna rit et ajoute avec joie: «Pour moi, ce ne sont pas des clientes. Ce sont *mes filles*. Je veux que vous sachiez que je les aime toutes. Elles sont fantastiques. Et je ne parle pas de leur beauté, qu'elles obtiennent grâce aux produits Avon. Je parle de quelque chose de plus profond.»

Comme beaucoup de femmes, Edna ne veut pas dire son âge, mais il est surprenant d'apprendre qu'elle est la grand-mère de deux petits garçons et de deux petites filles. Et elle témoigne de ce que les produits Avon peuvent faire pour votre peau. «J'ai des amies qui m'ont affirmé que ma peau était bien plus belle depuis que je vendais les produits Avon.» Elle sourit. «Cela me fait plaisir d'entendre ces paroles. Je veux que vous sachiez qu'il n'y a aucun autre produit que les produits Avon chez moi. J'aime cette compagnie et j'aime ses produits et je crois vraiment en ce que je vends.»

Lorsqu'elle va voir ses *filles*, Edna offre toute une gamme de produits variés destinés à toute la famille et joliment illustrés dans une brochure attrayante. Une nouvelle brochure est imprimée toutes les deux semaines, pendant lesquelles de nombreux produits sont offerts à des prix spéciaux. La compagnie offre plus de 600 articles, ce qui est beaucoup plus que les cinq parfums que le fondateur, David McConnell, offrait lorsqu'il a fondé la compagnie en 1886. Si l'on tient compte des différentes teintes de maquillage et des différents parfums, on double ce total. Le choix inclut des produits de maquillage, de soins de la peau, des parfums et des produits pour le bain pour les femmes; de l'eau de cologne pour les hommes, de la lotion après rasage et du talc; et des produits pour les enfants et les adolescents. Dans le domaine de la beauté, la mode et les goûts changent constamment, c'est pourquoi Avon change ses produits pour suivre ces tendances. Il arrive souvent qu'Avon introduise bien plus de nouveaux produits lors d'une campagne de vente de deux semaines qu'une autre compagnie peut en offrir en un an. Grâce à tous ces nouveaux produits, chaque fois qu'Edna va voir ses clientes, elle a quelque chose de neuf et d'excitant à leur montrer.

Edna pense aussi qu'il est très important pour une vendeuse de soigner son apparence. Elle pense que ceci est particulièrement vrai pour la personne qui vend des produits de beauté, et bien plus encore si elle va voir ses clientes chez elles. Ses cheveux sont bien coiffés et les moindres détails de son maquillage sont étudiés. Juste assez d'ombre à paupières et de mascara. Pas trop; juste assez. «Je pense qu'il est très important de bien s'habiller et de bien se maquiller, sans exagérer, explique-t-elle. Je porte toujours l'un de nos parfums, mais je prends soin d'en choisir un qui ne soit pas trop fort. Il faut penser à la réaction des gens et, lorsque vous allez voir autant de clients que moi, il ne faut pas oublier que certains peuvent être très sensibles; donc, vous ne devez pas porter un parfum trop lourd.»

Lorsque Edna va voir l'une de ses clientes, elle est toujours souriante et bien que toutes sachent qu'Edna est une femme d'affaires, elles savent aussi qu'elle est leur amie. «Il faut s'intéresser à elles, insiste-t-elle. Je ne peux pas me contenter d'entrer dans une maison et me mettre à parler affaires immédiatement. Je dois m'assurer qu'elles se sentent bien à l'aise avant de commencer. Nous prenons donc une tasse de café et nous nous détendons. L'autre jour, une femme m'a dit: *Edna, je suis sûre que cela ne vous intéresse pas de voir ce que nous avons de nouveau dans la maison, mais vous prenez toujours le temps d'y jeter un coup d'oeil et de passer un commentaire. Vous savez, j'apprécie beaucoup.* En fait, *cela m'intéresse.* Je m'intéresse sincèrement à tout ce qui concerne mes filles. J'écoute leurs problèmes. Et lorsqu'une femme se sent seule et s'ennuie, je reste avec elle un peu plus longtemps pour lui tenir compagnie.»

Bien qu'Edna ait une carrière très intéressante et qu'elle y prenne plaisir, il lui faut *un petit quelque chose de plus* qui lui permette d'obtenir le même volume de ventes extraordinaires, semaine après semaine, mois après mois, année après année. C'est Michel-Ange qui a dit: «Si les gens savaient à quel point j'ai travaillé pour avoir ce talent, ils ne s'étonneraient plus.» Et si les clientes d'Edna pouvaient passer une journée avec leur représentante Avon, elles verraient un autre côté d'Edna, qui leur semble toujours si détendue et bien à son aise lors-

qu'elle boit un café avec elles et qu'elle leur montre les produits Avon.

La journée type d'Edna commence lorsqu'elle rend sa
première visite à neuf heures le matin et sa journée ne se ter-
mine jamais avant neuf ou dix heures le soir. «Le matin, je
vais voir mes clientes jusque vers midi, puis je m'arrête à la
maison pour manger en vitesse avec mon mari. Souvent je
mange en un quart d'heure, un sandwich dans une main et le
téléphone dans l'autre, pendant que j'essaie de fixer mes
rendez-vous pour l'après-midi et le soir. De nos jours, les
femmes sont occupées et j'ai beaucoup de clientes qui ne me
reçoivent que sur rendez-vous. Elles veulent que j'aille les
voir lorsque cela leur convient et c'est bien sûr ce que je fais.
Lorsque j'ai commencé, les femmes n'étaient pas aussi ac-
tives qu'aujourd'hui; il m'était donc possible de m'arrêter
chez elles et j'étais sûre de les y trouver. Mais c'est différent
maintenant.

«Après ce rapide dîner et mes coups de fil, je ressors jusque
vers cinq heures et demie; je rentre à la maison pour un autre
repas rapide. Mon mari, que Dieu le bénisse, me le prépare; je
peux donc m'asseoir et manger et moins d'une demi-heure
plus tard, je suis encore sur la route. Lorsque je rentre à la
maison, habituellement entre neuf et dix heures tous les jours
du lundi au vendredi, je me couche, je prends un livre et je
m'endors avec. Il y a eu des soirées où j'étais tellement
fatiguée que je me suis endormie en rentrant dans mon lit;
mais lorsque le réveil sonne le matin, je saute en bas de mon
lit, prête à affronter une nouvelle journée. À vrai dire, j'ai
hâte d'aller voir ma première cliente de la journée. Oui, je
sais qu'il y a des tas de vendeurs qui craignent de sortir du lit
pour rencontrer ce premier client mais moi, j'aime ça. J'ai
toujours une grande hâte de démarrer.»

Edna s'arrête pour remettre de l'ordre dans ses pensées et reprend avec ardeur: «Vous savez, je travaille à mon compte, je n'ai pas de patron. Je peux faire ce que je veux, quand je veux. Je n'ai pas à poinçonner, je n'ai pas à me trouver à l'usine ou au bureau pour telle ou telle heure et je n'ai pas à rester au travail jusqu'à ce qu'une cloche annonce la fin de la journée. J'ai toute ma liberté et je fais ce qui me plaît. Mais comme tous les professionnels, je considère que mon temps est extrêmement précieux. Souvent, une amie me demande: *Edna, pourquoi ne viens-tu pas dîner avec moi? Rien ne t'en empêche!* Je dois expliquer que je travaille exactement comme s'il me fallait poinçonner et comme si je dépendais d'un patron. Et un patron sévère - moi!»

Edna est une personne très disciplinée et elle ne se permet aucune distraction lorsqu'elle travaille. «Ma famille a beaucoup collaboré avec moi et sans elle, je n'aurais jamais pu réussir, dit-elle. Je ne m'occupe jamais, mais alors jamais, de faire des courses au marché, chez le nettoyeur ou à la pharmacie lorsque je vends mes produits. Je connais beaucoup de vendeurs qui perdent une heure ou deux tous les jours, alors qu'ils pourraient aller voir des clients. Et ils prennent une heure et demie pour dîner, pour ensuite finir tôt, peut-être à seize heures trente. Ce qui m'étonne, c'est que ces gens-là se demandent pourquoi ils ne gagnent pas assez pour joindre les deux bouts. Dieu merci, j'ai Harold et trois filles merveilleuses. Ils font toutes mes courses et autres corvées dont je devrais m'occuper si ce n'était d'eux. Et c'est Harold qui s'occupe de tous mes travaux de bureaux. Ce qui fait que je suis absolument libre de consacrer tout mon temps à la vente, sans qu'aucune interruption ne vienne me distraire. Vous savez, quand j'y regarde de près, je travaille autant que si j'étais employée quelque part et si j'y manquais, j'aurais des problèmes.

«J'ai un jour entendu dire que le vendeur moyen passait moins de 25 pour cent de son temps en tête à tête avec ses clients, poursuit Edna. Eh bien, moi, je passe plus de 90 pour cent de mon temps avec mes clientes; et je crois que c'est la seule façon de gagner de l'argent dans la vente.

«Le vendeur peut toujours trouver une excuse s'il n'a pas envie de travailler. Il existe des dizaines de raisons qui font qu'il ne devrait pas travailler s'il n'en a pas envie. Par exemple, nous avons un hiver très rude. Je pourrais toujours dire que le froid ou la tempête de neige m'empêche de sortir. Je pourrais souffrir d'une grippe ou d'un mal de tête comme la plupart des vendeurs, et rester à la maison quelques jours à l'occasion. Et bien sûr, il y a toujours les ennuis de voiture. Mais le fait est que rien ne m'arrête jamais.

«Je me souviens d'une grosse tempête de neige que nous avions eue, poursuit-elle. Il était tombé 1 mètre 20 de neige d'un coup. Il m'était impossible de conduire. Alors j'ai stationné ma voiture, j'ai pris ma valise d'échantillons et j'ai marché. La seule personne qui avait marché, ce jour-là, c'était le facteur, alors j'ai suivi ses pistes. Mes filles me recevaient en hochant la tête et en disant: *Edna, c'est incroyable! Il n'y a que vous pour venir me voir par un temps pareil. Entrez.* La plupart des vendeurs itinérants ne travaillent pas lorsqu'il ne fait pas beau, lorsqu'il neige ou qu'il pleut. Moi, je m'aperçois que ce sont ces jours-là qui sont les meilleurs. Pourquoi? Parce que ce sont ces journées-là que vous trouvez le plus de gens chez eux. Et ils apprécient votre visite. Ils savent qu'ils peuvent compter sur vous et ça, c'est un point très positif pour le vendeur.

«On peut dire que je vis dans ma voiture, continue Edna. C'est pourquoi je la garde toujours en bon état et que j'en achète une nouvelle tous les deux ou trois ans. Le vendeur n'a pas le droit de ne pas travailler à cause d'une voiture en panne. Ce n'est pas une excuse. Bien sûr, c'est parfois inévitable mais moi, lorsque j'ai un ennui, j'appelle Harold; il vient me rejoindre et je prends sa voiture!»

La réussite d'Edna prend ses racines dans le fait qu'elle est fiable. Elle croit que le vendeur doit donner un bon service à son client et elle veille à ce que ses clientes reçoivent le meilleur service qu'elle puisse humainement donner. Edna insiste tellement pour s'acquitter de ses responsabilités que ses amis et sa famille disent qu'il s'agit d'une vraie marotte. Mais Edna n'hésite pas à se défendre. «Je suis comme ça. Si je décide de faire quelque chose, je le fais de mon mieux. De plus, j'offre trois services et c'est pour cette raison que mes filles ont besoin de moi. Premièrement, c'est pratique, car c'est moi qui me déplace et non pas elles. Deuxièmement, Avon représente une économie car nos prix sont très compétitifs et nos clientes économisent sur l'essence, le stationnement et, dans le cas d'une femme qui travaille, je lui fais gagner du temps. Et troisièmement, je leur offre un service personnalisé, et c'est quelque chose qui se perd de plus en plus dans notre société.

«Une femme m'a appelée, il n'y a pas tellement longtemps, pour me dire qu'il ne lui restait plus de crème à base d'hormones et elle se demandait si je n'en avais pas dé disponible. Je lui dis que non et elle me demanda si cela me faisait quelque chose qu'elle aille au magasin du coin, car il lui en fallait absolument. Je lui dis que je n'y voyais pas d'inconvénient. Elle est donc allée dans l'un des grands magasins de la ville et m'a rappelée, dégoûtée, pour me parler de la façon dont les vendeuses l'avaient traitée. *Non seulement les produits étaient plus chers,* a-t-elle dit, *mais, Edna, vous ne pouvez pas savoir à quel point la vendeuse a été grossière. J'avais besoin de quelques renseignements et elle n'a même pas daignée me répondre. Elle tapait du doigt sur le comptoir et elle me regardait comme si elle pensait: «Hé, la vieille, il n'y a rien ici qui puisse accomplir des miracles, alors tu ferais mieux d'oublier tout ça!» Je lui ai dit que si j'étais pour être servie de cette façon-là, j'aimais mieux aller voir ma représentante Avon.»*

Edna sourit de satisfaction. «Mes filles aiment la façon dont je m'occupe d'elles. J'ai des échantillons que je leur laisse essayer et je pense qu'elles aiment mieux essayer les produits chez elles qu'au magasin. Je leur parle de chacun des produits. J'essaie de les instruire en matière de produits de beauté et je leur donne des conseils personnels sur le maquillage. Je pense que les gens aiment ce genre de service.

«Il m'arrive souvent d'avoir comme clientes les filles de mes anciennes clientes. Petites filles, elles s'asseyent et écoutent et en grandissant, elles commencent à avoir besoin de produits. Aujourd'hui, les adolescentes ne restent pas indifférentes au maquillage et vu qu'elles ont de l'argent de poche qu'elles gagnent en gardant ou en faisant d'autres petites tâches, elles peuvent acheter. Mais je fais toujours attention d'avoir l'autorisation de la mère. Sinon, les mères m'en voudraient, pensant que j'en profite.»

Toutes les deux semaines, Avon lance une nouvelle campagne accompagnée d'une nouvelle brochure présentant différents produits *spéciaux*, vendus à des prix défiant toute concurrence. Au début d'une nouvelle campagne, toutes les représentantes reçoivent un paquet contenant les brochures destinées aux clientes et celles expliquant les nouveaux produits. «Je lis toujours absolument tout ce que je reçois d'Avon, déclare Edna. Je sais qu'il y a des vendeuses qui ne le font pas mais moi, je lis tout et je l'étudie afin de bien tout expliquer à mes filles. Je pense que j'obtiens de bien meilleurs résultats lorsqu'elles s'aperçoivent que je connais bien mes produits; je n'ai pas l'air d'une idiote lorsque je sors un pot; je sais toujours ce qu'il contient!»

Edna ne prend jamais de raccourcis qui pourraient défavoriser ses clientes. Bien que la plupart des représentantes Avon transportent une seule valise, elle en transporte trois. «Mon mari et mes filles ne cessent de me répéter que je ne devrais pas transporter quelque chose d'aussi lourd.» Edna soupire. «Chacune doit peser dans les vingt-cinq livres. Mais je trouve qu'il est important de montrer des échantillons et bien sûr, j'ai toujours quelque chose de spécial que mes filles peuvent essayer. Bien entendu, c'est du travail supplémentaire, mais cela m'aide à vendre encore plus de produits Avon. Mes clientes veulent toucher et sentir avant d'acheter. Bien que personne ne me l'ait jamais affirmer, je parie que je transporte plus d'échantillons que n'importe quelle autre représentante Avon au pays.»

En observant la maison des Larsen, il est évident que nous nous trouvons dans une maison Avon. En plus de toutes les récompenses et plaques qu'Edna a reçues, la famille a accumulé presque tous les flacons et produits vendus par la compagnie. «Celui-là, c'est une pièce de collection, dit Edna avec fierté. Et celui-là a aussi beaucoup de valeur. Quant à celui-ci, on me donnerait $300 que je ne m'en séparerais pas.

«Comme vous pouvez le constater, je crois vraiment à ce que je vends, dit-elle. Et je n'utilise que des produits Avon. Il ne me viendrait jamais à l'idée d'en utiliser d'autres car, évidemment, ce sont les meilleurs. Mais cela ne veut pas dire que je ne vais pas de temps en temps à la pharmacie du coin ou dans un magasin, afin de me rendre compte de ce que vendent les autres compagnies. Je pense que cela donne confiance à un vendeur que de savoir ce qui se fait ailleurs. Ce n'est que lorsque vous ne savez pas ce que vendent les compagnies concurrentes que vous manquez de confiance et que vous vous sentez mal à l'aise avec le client. En connaissant les autres produits aussi bien que les miens, je peux offrir un meilleur service. Lorsqu'une fille me demande: *Que devrais-je prendre pour ma peau?*, je peux lui répondre. Et je dois pouvoir lui donner la bonne réponse. Peu importe ce que vend un vendeur, il doit connaître les produits de la concurrence et les siens. Sinon, tant pis!

«L'une des choses qui a fait le plus pour ma confiance en moi, dit-elle, a été un voyage que j'ai fait au laboratoire de fabrication des produits Avon, à Morton Grove, dans l'Illinois. Il y a plusieurs années, j'ai eu la chance d'aller là-bas et de voir comment tout se passait. J'ai donc appris beaucoup sur tout ce que je vendais mais j'ai été étonnée aussi de voir à quel point cet endroit était immaculé. Je veux dire par là qu'on aurait pu manger par terre! J'ai été vraiment impressionnée et cela m'a donné encore plus d'assurance pour la vente de mes produits.»

Bien qu'Edna travaille sur trois territoires au lieu d'un seul, elle a l'impression de bien comprendre chacune de ses clientes. (Soit dit en passant, un territoire Avon comprend habituellement 200 résidences.) «Il est très important de bien comprendre la cliente, dit-elle. Chacune doit être traitée de façon différente et je les considère toujours de façon bien individuelle.

«Par exemple, j'ai un carnet de notes dans lequel j'inscris à quel moment il vaut mieux aller les voir. Celles qui sont vraiment occupées aiment que je fasse vite. Il y en a d'autres qui m'attendent avec impatience. Une visite dure habituellement une demi-heure, mais certaines femmes aiment discuter et si je ne faisais pas attention, je pourrais y passer la journée.

Comme je le disais, je dois leur montrer que je m'intéresse à elle, mais je ne dois pas oublier que je travaille. Je finis par montrer mes échantillons et par dire à ma cliente que je travaille, donc que je dois me dépêcher. Si une fille insiste pour que je reste et que je m'aperçois qu'à chaque fois, je perds un peu plus de temps, il me faut prendre une décision, à savoir si oui ou non je dois retourner chez elle encore.

«Je n'aime pas cesser d'aller voir une cliente, mais si elle ne me laisse pas sortir de la maison, je pourrais me trouver dans la situation où je perds de l'argent au lieu d'en gagner en allant la voir, à cause de tout le temps que je perds chez elle. Je pense qu'il est donc important de mettre au point une technique permettant de quitter la cliente, tout en restant gentille. La meilleure méthode est peut-être de regarder sa montre. C'est alors que vous annoncez: *Il me reste cinq minutes. Je vais être en retard à mon rendez-vous suivant. Je regrette mais vous allez devoir m'excuser.* Je dois me dépêcher.»

Edna a l'air préoccupée lorsqu'elle ajoute: «Vous ne pouvez pas montrer que vous pensez en termes de dollars, dans la vente. Les filles aiment l'idée que vous êtes une amie et elles doivent savoir que vous les aimez bien. Vous devez pouvoir plaisanter avec elles et écouter leurs problèmes. Je dis à toutes mes nouvelles clientes: *Appelez-moi Edna.* Et je leur dis à toutes: *Je suis une amie.*

«Je connais tellement bien mes filles que je n'ai même pas besoin de leur faire signer le bon de commande.» Elle sourit. «Je ne serais pas à l'aise d'exiger une signature, car il y en a avec qui je travaille depuis vingt ans. Voyez-vous, au cours des années, il se développe une relation très étroite.»

Edna, insiste: «Une autre chose à laquelle je crois, c'est que la représentante Avon ne devrait jamais faire pression. Si vous utilisez cette technique, vous rebutez la cliente. Une jeune fille m'a dit l'autre jour: *Edna, ce que j'aime bien chez vous, c'est que lorsque vous m'avez montré le produit et que vous me l'avez expliqué, vous me laissez décider. Vous vous taisez et vous n'insistez pas. Je ne peux pas supporter les vendeurs qui exercent des pressions.* J'en ai d'autres, par contre, qui sont incapables de prendre une décision si je ne les aide pas. Avec ces clientes, je pousse un peu, mais ce n'est pas ce que j'appelle de la pression. Par exemple, j'essaie toujours de vendre autre chose lorsque je fais une livraison. Il y en a qui me disent: *Edna, ce n'est pas la peine de me montrer quoi que ce soit. Je n'ai besoin de rien aujourd'hui.* Je sors alors le catalogue et je dis: *Regardons-le ensemble. Nous avons de nouveaux articles et je veux vous faire profiter de nos spéciaux.* Mais je m'arrange toujours pour que la vente se fasse en douceur.»

Edna ne reçoit pas beaucoup d'appels, car elle est rarement à la maison entre neuf heures le matin et dix heures le soir. La seule plainte que pourraient formuler ses clientes, c'est qu'il est impossible de la rejoindre. «N'ayez pas peur de m'appeler. Je suis au bout du fil. Je suis votre représentante Avon et si je ne viens pas vous voir lorsque vous avez besoin de moi, donnez-moi un coup de fil et je passerai vous voir.» Bien qu'Edna soit très sincère lorsqu'elle dit à ses clientes de l'appeler, la plupart ont tôt fait de s'apercevoir qu'il est peu probable qu'Edna soit chez elle lorsqu'elle peut travailler.

«Vous pouvez peut-être appeler ça une obsession, confesse-t-elle. Mais je me sens obligée d'aller voir mes filles lorsque je peux le faire. Je me souviens d'une journée extrêmement glacée alors qu'il était presqu'impossible de conduire. Chacune de mes filles m'avait appelée pour me conseiller de rester à la maison. Même mon mari m'avait appelé de l'école pour me dire: *J'espère que tu ne sortiras pas aujourd'hui.*

Toutes les routes sont verglacées. Je ne les ai pas écoutés et en remontant l'allée verglacée de l'une de mes clientes, je suis tombée et ma valise est partie dans les airs. Je me suis retrouvée à plat sur le dos et je savais que j'étais blessée. Mais j'ai continué à travailler jusqu'à la fin de la journée. À la fin de l'après-midi, mon mari passait par là et m'a vue sortir de ma voiture. J'avais du mal à respirer et je lui ai parlé de mon accident. Je sais que j'aurais dû l'écouter, mais je ne me suis pas arrêtée et je suis même ressortie après souper. Par hasard, je suis allée voir une cliente qui était infirmière et lorsque je me suis penchée pour ramasser quelque chose et qu'elle m'a entendue crier de douleur, elle m'a demandé: *Edna, qu'est-ce qui ne va pas?* Je lui ai dit ce qui m'était arrivé et elle m'a posée un bandage. Elle m'a dit que j'avais sûrement quelques côtes fracturées et que je devrais aller voir un médecin le lendemain.

«Le lendemain matin, je suis allée voir le médecin et les radiographies ont indiqué que j'avais trois côtes brisées. Il m'a grondée parce que j'avais continué de travailler et m'a dit de rester au lit pour plusieurs jours. Le jour suivant, j'étais décidée à travailler. Je me suis dirigée vers ma voiture et j'ai dû m'aider de mes mains pour monter mes jambes et m'installer sur le siège. Je suis passée sur un cahot de la route et la douleur m'a empli les yeux de larmes. Mais je ne me suis pas arrêtée et quelques jours plus tard, je n'avais plus de mal et je me sentais très bien.»

Edna a vécu une autre expérience qui aurait empêché la plupart des vendeurs d'aller travailler sans que le patron le plus sévère ne s'en plaigne. «Il y a quelques années, se souvient Edna, mon mari a eu une crise cardiaque. Il devait suivre un régime très sévère et il fallait que je lui prépare des repas bien spéciaux. Je pensais constamment à lui et lors d'une visite à une cliente, il a fallu que j'aille au coffre de ma voiture pour aller y prendre quelque chose. Là encore, c'était un jour de verglas; j'ai glissé et je suis tombée sur mon bras droit. Je suis revenue chez ma cliente pour lui dire: *Je suis désolée, il faut que je retourne chez moi. Je viens de tomber et je suis sûre de m'être fracturé un bras.* Bien sûr, ma cliente était désolée et a offert de m'aider, mais je lui ai expliqué qu'il fallait que j'aille chez moi préparer le repas de mon mari. Lorsque je suis arrivée, je ne voulais pas lui faire peur, mais lorsqu'il a vu mon bras, il s'est habillé et m'a emmenée vitement chez le médecin.

«L'hiver est dur dans le Minnesota et le médecin m'a dit que j'étais sa cinquième patiente avec une fracture ce jour-là. Lorsqu'il m'a dit que j'avais le bras cassé, je me suis écriée: *Bonté divine, comment une représentante Avon peut-elle travailler avec un bras fracturé? Il ne pouvait rien m'arriver de pire!* Bien sûr, il m'a assurée qu'il aurait pu m'arriver bien d'autres choses pires encore, puis il m'a annoncé que je devais garder le plâtre pendant huit semaines. Et il m'a ordonné de ne pas travailler. Je suis repartie vers la maison et je dois avouer que c'est l'une des rares fois où je me suis sentie vraiment déprimée. Le lendemain après-midi, je ne pouvais plus supporter de rester enfermée, alors j'ai pris un comprimé anti-douleur et je suis allée voir mes clientes. Je ne pouvais transporter qu'une seule petite valise et au début, je demandais à mes clientes de remplir elles-mêmes leurs bons de commande. Elles se sont montrées très patientes. Quelques jours plus tard cependant, je pouvais écrire de la main gauche et mes affaires avaient repris un cours normal.»

Lorsqu'on demande à Edna ce qui la pousse à de tels extrêmes, elle répond: «J'offre un service à mes filles et je ne voudrais pas qu'elles pensent que je les laisse tomber. Je veux qu'elles sachent qu'elles peuvent compter sur moi. Je les ai tellement entendues se plaindre d'un vendeur qui est venu les voir une fois pour ensuite disparaître à jamais. Si les clientes décident d'acheter d'une représentante Avon, il est important que cette dernière passe régulièrement, car si elle ne le fait pas, elle n'offre tout simplement pas le service que ses clientes sont en droit d'attendre.

«Je pense que le plus beau compliment que mes filles puissent me faire, ajoute Edna, c'est de m'ouvrir leur porte par une soirée froide en disant: *Edna! C'est incroyable. Il n'y a qu'Edna pour venir nous voir par un temps pareil! Il n'y a personne d'autre pour sortir par une température semblable. Entrez, Edna.* Je pense que c'est cette chaleur que je ressens lorsque j'entre chez elles, le fait de savoir qu'elles sont heureuses de me voir.» Elle fait une courte pause et ajoute doucement: «C'est un sentiment merveilleux.»

La personne qui travaille autant qu'Edna doit vraiment aimer son travail. Ce dévouement requiert une grande croyance dans le produit que vend la compagnie. Edna est la première à vous dire combien elle aime son travail; elle nous parle même d'une autre représentante Avon qui est âgée de quatre-vingts ans et qui continue à vendre ses produits. «C'est une autre chose que j'aime dans ce que je fais, dit Edna en souriant. C'est un genre de travail que je peux faire jusqu'à la fin de mes jours.» Rien qu'à penser à la retraite, elle frissonne. «J'aime tout, dans mon travail, dit-elle. J'aime mes produits et j'aime la compagnie. Je m'enflamme lorsque je parle d'Avon et mon enthousiasme est contagieux. Je le vis, et c'est ma vie. Je sais que cela ne devrait pas être comme ça, mais c'est comme ça.

«Je crois à cent pour cent dans mes produits, dit Edna fièrement. Et ma sincérité doit être communiquée à mes filles, pour qu'elles aussi puissent croire en Avon. Et l'un des meilleurs atouts de la vente, c'est qu'Avon garantit tous les produits que je vends. C'est une devise de vente formidable car si l'une de mes filles ne veut pas garder ce que je lui ai vendu, je la rembourse sans discussion. Bien sûr, je n'ai pas plus d'un ou deux retours par mois; mais c'est bon pour le moral de savoir que je peux compter sur cette garantie.»

Dans une section de North St. Paul, Minnesota, il y a 600 demeures dans lesquelles la femme peut être certaine de deux choses. Premièrement, c'est qu'Avon garantit tous les produits vendus par la représentante Avon. Deuxièmement, bien que cela ne soit écrit nulle part, elle peut être certaine que sa représentante Avon, Edna Larsen, garantit personnellement le meilleur service qu'elle peut lui offrir en tout temps.

8

Martin D. Shafiroff

Lehman Brothers Kuhn Loeb

«Les convictions de la vente par téléphone...»

Martin D. Shafiroff est l'un des associés de Lehman Brothers Kuhn Loeb Incorporated, l'une des plus prestigieuses compagnies d'investissements bancaires. Pendant les douze mois se terminant le 30 septembre 1977, ses commissions brutes se chiffraient à environ $1,5 million, ce qui est probablement le revenu le plus élevé de tous les producteurs détaillants aux États-Unis.

Martin s'est associé à Lehman en 1969 et a travaillé dans la division des valeurs comme courtier, conseillant aussi bien des individus que des institutions. Sa principale responsabilité, aujourd'hui consiste à travailler avec des gens un peu partout dans le pays, à les conseiller et à leur recommander des investissements dans les valeurs, l'immobilier et des investissements hors taxes. On croit qu'il traite avec bien plus de présidents de corporations que tout autre courtier du pays. De plus, beaucoup de ses clients font partie du monde du spectacle.

Il a commencé sa carrière dans l'investissement en 1966 avec la Eastman Dillon Union Securities Company (maintenant la Blyth Eastman Dillon & Company). Avant d'entrer dans le domaine des valeurs, il était vendeur pour une petite compagnie industrielle. En octobre 1977, Martin s'est associé à la Lehman Brothers. Il est maintenant le seul courtier-associé de cette entreprise de plus de 125 ans.

Il a donné de nombreuses conférences sur l'art de la vente, l'emploi du temps et l'art de l'investissement. Martin a fait l'objet de plusieurs articles dans le *Wall Street Journal* et le magazine *Institutional Investor.*

Martin est né à Brooklyn, New York, le 22 juillet 1938. Il a obtenu un diplôme du collège de la City University of New York en 1962, alors qu'il s'était spécialisé dans la finance et les investissements. Il est célibataire et vit à New York. Il est un avide joueur de balle au mur et de balle à palette.

MARTIN D. SHAFIROFF

Martin Shafiroff transige probablement plus de titres dans le cours d'une année que n'importe quel courtier en valeurs mobilières au détail en Amérique. Au cours de l'exercice s'étendant du 30 septembre 1976 au 30 septembre 1977, il a mené à bien des transactions de l'ordre de trois cents millions de dollars, soit une moyenne d'un million et demi par jour ouvrable.

Comme il traite avec des particuliers plutôt qu'avec des corporations, il devient évident que sa clientèle regroupe un éventail de gens heureux en affaires et jouissant d'un revenu personnel respectable. Martin compte parmi ses clients probablement plus de présidents de conseils d'administration et de présidents d'entreprises importantes que la plupart de ses confrères. Il a son port d'attache chez Lehman Brothers à New York, mais il estime que plus de quatre-vingts pour cent de ses clients ont pignon sur rue hors de l'état de New York. En fait, il affirme n'avoir rencontré personnellement que le quart de ceux-ci. De là à conclure qu'il se sert énormément du téléphone dans ses transactions, il n'y a qu'un pas vite franchi. En d'autres termes, si on réunissait ses quelque deux mille deux cents clients dans une même salle pour présenter un hommage à ce courtier hors pair, il est plus que probable que Martin ne pourrait reconnaître de vue que trois cents d'entre eux. Les autres seraient de parfaits inconnus à ses yeux.

MARTIN D. SHAFIROFF

Naturellement, ces neuf cents clients ne seraient étrangers qu'en apparence. Pour citer Martin: «À frayer avec des gens pendant un certain temps, on développe des liens très étroits. C'est un peu comme une relation d'esprit à esprit, à haute teneur philosophique, car nous traitons d'un sujet d'une importance capitale entre nous; je veux parler de la façon d'investir des capitaux de rendement sûr. En ce sens, une communion de pensée étroite s'établit entre les partenaires.»

D'une voix calme et posée, le courtier continue: «J'ai découvert qu'un grand nombre de cadres, très cohérents dans l'apport des renseignements nécessaires et dans l'exposition du but poursuivi par leur entreprise, n'ont tout simplement pas la bosse de l'investissement. Cette attitude repose sur le fait qu'ils sont tellement occupés à faire fructifier leur société qu'ils en oublient de faire marcher de front leurs affaires personnelles; pourtant, celles-ci sont vraiment importantes et à parts égales si j'ose dire. Parfois, ils en confient la responsabilité à un tiers, lui donnant carte blanche. Pour tout dire, *ces cadres ont besoin de moi.*

«J'aime travailler avec un client qui désire et consent à augmenter son capital tout en le sauvegardant. Dans mon travail, je recherche les secteurs rentables et m'efforce de déceler les failles du marché. Comme je traite des valeurs, je concentre mon attention sur les titres, les devises étrangères, l'or, l'argent, les actions sociétaires et municipales ainsi que les biens immobiliers. Je surveille les conditions et les moments propices à l'investissement. Je crois qu'il existe aujourd'hui, en Amérique, une certaine dépression dans le secteur des investissements. Les entreprises achètent des actions d'un nombre limité de firmes et, parce que l'intérêt des particuliers a décliné dans les valeurs mobilières, on retrouve des firmes notables dont la valeur comptable est colossale; elles vendent à un coefficient multiple de quatre ou cinq fois leur bénéfice par action et procurant, de ce fait, un fort rendement au comptant à l'investisseur. Ces firmes récoltent des revenus extraordinaires sur le capital et la valeur nette; il ne manque plus au tableau que la réclame et une excellente commandite. À mon sens, ces dernières offrent, pour l'avenir, la perspective d'un potentiel fabuleux dans le secteur des placements. Je crois que bon nombre de sociétés pourraient aujourd'hui doubler ou même tripler leur valeur marchande; cependant, il faudra s'armer de beaucoup de patience et savoir attendre le moment propice. Lorsque celui-ci se présente, la montée en flèche des investissements est phénoménale. C'est pourquoi j'use d'une certaine stratégie et d'une approche philosophique dans mon travail. Lorsque j'ai trouvé un placement qui remplit les conditions citées plus haut, je suis alors prêt à soumettre mon projet et à faire mes suggestions.»

Martin fait une pause afin de bien choisir ses mots pour continuer: «Je suis persuadé qu'il faut croire fermement à sa méthode d'action; seulement alors est-il possible de passer la rampe auprès du client éventuel. Les valeurs étant ma seule préoccupation, peu importe où elles se trouvent, mes contacts comprendront mes principes puisqu'ils y souscrivent déjà.

«J'insiste sur la nécessité d'être convaincu car c'est le secret de la réussite. Les entreprises florissantes sont là pour le prouver. Au fond, vous êtes la cheville maîtresse dans une transaction. Je crois que cela est vraiment essentiel. Si vous croyez dur comme fer en ce que vous faites, invariablement, vous parviendrez à convaincre votre interlocuteur. C'est pourquoi je n'hésite pas à dire qu'un particulier doit étudier, scruter, analyser l'éventail complet des placements jusqu'à ce qu'il découvre une stratégie et un produit qui lui aillent comme un gant.

«Cependant, le produit et la conviction ne sont que la moitié de ma formule; l'autre partie réside dans mes contacts par téléphone ou en personne. Mon but principal est de convertir mes contacts en clients éventuels, des clients qui trouveront mon approche alléchante. Ces clients deviendront éventuellement des comptes que je ne perdrai jamais de vue afin de les augmenter et de les faire valoir. Et c'est ainsi que je composerai des portefeuilles de valeurs pour tous mes clients.»

Martin continue: «Tous les jours, je revois ma formule et je conclus, à la lumière de mes actions de la journée, de ce que je dois faire et de l'orientation que prendront mes affaires. Cette formule est toujours là devant moi, noir sur blanc, de façon que je ne puisse l'oublier. Elle agit comme une sonnerie d'alarme et je la consulte vingt-cinq à trente fois par jour. Je me demande constamment: *Que suis-je en train de faire? Pourquoi? Est-ce vraiment important?* Je me répète ces questions ad infinitum, ce qui me permet d'éliminer les futilités. Je crois que les grandes entreprises, en multipliant les données orales et écrites aux particuliers, les inondent d'une infinité de notions inutiles. Tout en poursuivant le but louable de créer de l'entregent, de la bonne volonté, elles ne réussissent qu'à gaspiller un temps précieux qui devrait être consacré à la vente. J'ai pris l'habitude de placer mon portedocuments tout près de moi. Alors, lorsque du matériel pas tout-à-fait pertinent apparaît sur mon bureau, je l'y dépose afin de le consulter durant mes moments de loisirs.

«En ce qui regarde la vente, je n'ai pas d'heures bien définies: elles dépendent de mes contacts avec mes clients. Cela ne signifie pas nécessairement que je m'acquitte de cette tâche simplement lorsque le marché est en cours. La majeure partie de mon travail se fait durant la journée; de là, il est facile de conclure que mes lectures et mon travail personnel doivent être relégués au matin ou après les heures normales de bureau.

«Je garde toujours à l'esprit une étude que j'avais faite sur l'emploi du temps dans mon genre d'occupation. Ordinairement, le courtier moyen consacre relativement peu de temps à la vente proprement dite. Il gaspille, il fiche par la fenêtre de longues heures à prendre connaissance d'ouvrages, de plaquettes, de notes de service, tout ce qui se présente sur son bureau, à prendre le lunch avec les copains, et s'acquitte d'un nombre effarant de choses non pertinentes pour ne pas dire inutiles. En d'autres termes, j'en ai conclu qu'il ne consacre que trente minutes environ de sa journée à sa vraie tâche.»

Martin secoue la tête d'un air pensif: «Vous savez, je n'essaie pas de vous monter un bateau, c'est ainsi que cela se passe. Le temps consacré à ses clients se réduit à seulement trente minutes de sa journée de travail. Supposons que le temps moyen affecté aux contacts soit d'une demi-heure et que je puisse l'augmenter à trois ou quatre heures, vous voyez d'ici tout le profit à retirer, n'est-ce pas? On pourrait dire que je suis ma propre corporation car je fais tout, de la présidence à la manutention. Donc, il s'ensuit que je dois être très attentif à la façon dont je prépare mon emploi du temps. De nature, je suis très porté à l'analyse; c'est pourquoi je scrute continuellement chaque tâche et recherche la meilleure manière de mener à bien ce que j'entreprends.»

Martin Shafiroff dispose de trois adjoints dans son travail. L'un aide à contacter les clients établis et les clients éventuels. Un deuxième se consacre à la cueillette de renseignements sur ces derniers. Le troisième aide Martin, après une transaction complétée, à mettre à jour le travail laissé en suspens. Tous les quatre travaillent véritablement en équipe et l'on ne se marche pas sur les pieds; ils forment plutôt une coopérative d'entraide. Les trois adjoints s'efforcent de laisser à Martin le plus de temps possible pour penser. Ainsi, leurs affaires marchent rondement.

En procédant de la sorte, Martin peut compléter en moyenne au moins soixante appels par jour à des clients ou à des comptes éventuels. Environ quatre-vingts pour cent de ces appels seront des interurbains, quelques-uns à des personnes qu'il n'a jamais vues ou approchées auparavant. En dépit de sa position de chef dans son secteur, Martin met la main à la pâte, c'est-à-dire qu'il continue toujours à rechercher de nouveaux comptes (à l'encontre, par exemple, d'un médecin qui ne désire pas voir grossir une clientèle bien établie). «Je considère que je n'ai pas perdu mon temps à la fin de la journée si j'ai réussi à obtenir trois nouveaux comptes, insiste Martin. Pour être heureux en affaires, il ne faut jamais se relâcher, surtout si les choses semblent tourner rond pour vous. Tous les jours, en plus de communiquer avec mes clients réguliers, il me faut absolument rejoindre des gens nouveaux. Par les contacts, je tâche de convertir les clients éventuels en comptes sûrs. C'est là l'essence même des affaires.»

Il s'arrête un moment, puis reprend: «Vous savez, il y a un nombre incalculable d'agents de change qui clament qu'ils vont arrêter de rechercher de nouveaux clients et se concentrer sur ceux qu'ils ont déjà afin de ne pas sombrer dans la négligence. Ils s'exposent à perdre leur motivation, que je considère comme la clé du succès, et à sombrer dans le marasme. Naturellement, la raison pour laquelle je n'ai pas leur problème réside dans ma façon d'aborder l'investissement. Je ne me cantonne pas dans les transactions à court terme non plus que dans les placements hors bourse; je recherche davantage les placements à long terme et la promotion de mes clients à des postes supérieurs dans la firme dont ils détiennent des actions. Du fait que je ne sois pas un adepte des transactions rapides, à tout prix, mes clients s'habituent à construire, à stabiliser leurs positions tout en prenant le temps qu'il faut, et nous sommes chanceux si nous parvenons à réaliser au moins quatre ou cinq placements sûrs durant une année. Donc, en ma qualité d'agent de change, je ne vois pas la nécessité de communiquer tous les jours avec mes clients. Étant donné leurs revenus plus que substantiels, ils seront naturellement plus portés vers les placements à long terme qui rapportent des gains en capital.

«Je répète constamment à mon client que, s'il ne se propose pas d'acquérir la société dans laquelle il investit, il devrait s'abstenir. Puisque les valeurs sont ma seule préoccupation, je lui démontre alors que cette compagnie ne peut être répétée à deux ou trois fois sa valeur marchande. Homme d'affaires avisé, il reconnaît rapidement le bien-fondé de ce que j'avance. Nous communiquons aisément car nous sommes placés sur la même longueur d'ondes quand nous nous lançons dans une discussion sur les valeurs.

«Je voudrais expliquer ici ce que je considère être la pierre angulaire de mon genre de travail.» Martin réfléchit un instant et pèse bien ses mots: «Je donne priorité à la préservation du capital. Je crois que l'on met trop d'emphase sur le rendement maximal. En raison de l'état actuel du système d'impôt, il est beaucoup plus difficile de se bâtir un capital que par le passé: il ressort de là qu'il faut tout tenter pour conserver son acquis. Au départ, je me pose la question: *Quels sont les risques probables?* Une fois ceux-ci évalués, je concentre mon attention sur le rendement. Je peux maintenant estimer les pertes possibles. Comme je mise sur des coefficients multiples peu élevés à rendements considérables et valeurs comptables substantielles, ces placements devraient réduire mes déficits.

«Une fois la marge de déficit établie, je recherche les placements au rendement à la hausse maximale. Comme je l'ai dit plus haut, on a tendance à lever le nez sur ces stocks car certains ont perdu la cote d'amour des investisseurs pour une raison ou pour une autre, et les particuliers ont diminué leur apport au marché. Je me cantonne donc dans l'acquisition d'actions: de la sorte, je m'assure de la valeur, du rendement et de la croissance probable. Je recherche surtout une administration de niveau supérieur. Chaque jour, je consulte les cotes à la baisse plutôt que les cotes à la hausse. Je vise les entreprises vendues à perte. Je suppute alors les possibilités d'amélioration et, si je constate qu'une firme présente une tendance à développer ses ventes et ses rentrées et que je réussis à obtenir un prix d'achat non compétitif, je passe tout de suite à l'action.»

Martin a conçu un plan d'action unique et précis. Il a consciencieusement fait ses classes et est fin prêt à passer son message à son client régulier ou à un client éventuel. Il explique: «J'ai maintenant une stratégie, une approche philosophique à présenter. Je crois qu'il est important de souligner ici que je ne me sens tenu par aucune méthode de placement. Je puis offrir des titres, des actions sociétaires, des actions hors taxes, des valeurs immobilières, un peu de tout. Je suis de plus persuadé que le particulier à qui je m'adresse a besoin de mon aide. Il a besoin de conseils, il a besoin d'être guidé.

«Lorsqu'un client éventuel me dit qu'il possède déjà une bonne part des actions dans la firme XYZ, je peux lui poser des questions dans le genre de celles-ci: *À combien estimez-vous le rendement pour le prochain trimestre? À combien l'action devrait-elle coter?* Je suis toujours renversé du flou, de la nébulosité des réponses. Comment des hommes d'affaires astucieux, qui consacrent la majeure partie de leur

vie à la technique et à l'administration avisée de la corporation qu'ils dirigent, peuvent-ils négliger de se servir des
mêmes moyens pour faire fructifier leurs placements? Pourtant, ces gens sont bien informés du marché et ils sont au
courant qu'il existe des manières de réaliser des gains substantiels en capital sans courir de risques. Quand je leur parle
d'escomptes généreux sur la valeur comptable, d'un
dividende comptant appréciable durant la période d'attente
et de coefficients multiples peu élevés sur les actions de la
compagnie en question, ils sont à même de reconnaître le
potentiel plus facilement que le commun des mortels. En
raison de mes antécédents dans les secteurs de la finance et
des placements, et en raison de mon association avec Lehman
Brothers, une société toute disposée à leur prêter sa collaboration en général ou sur une base personnelle dans leurs
investissements privés, je n'éprouve aucune difficulté à communiquer avec eux.»

L'appel téléphonique initial que fait Martin à un client
éventuel, généralement un cadre doté d'un revenu excédant
les deux cent cinquante mille dollars, peut se faire en référant
à une tierce personne connue des deux: *Allo, Bill! Ici, Martin
Shafiroff de chez Lehman Brothers. Votre nom m'a été
suggéré par John Brown qui traite avec moi. Il m'a conseillé
de vous contacter afin de vous mettre au courant du genre de
transactions que nous complétons ensemble.*

«J'ajoute alors que je transige les valeurs, peu importe
leur provenance, peu importe également de quel marché elles
relèvent. Je mentionne aussi ma prédilection pour les
cas spéciaux. Ceux-ci sont à l'ordinaire des sociétés qui écou-
lent à des coefficients multiples peu élevés, présentent un
bon rendement, des profits remarquables, jouissent d'une
excellente valeur comptable et offrent la possibilité de réaliser
des gains en capital substantiels. J'explique également que je

me pose toujours la question suivante avant de procéder: *Quels risques dois-je courir pour arriver à mes fins?* Je passe ensuite à la définition de ma philosophie sur les actions à coefficients multiples peu élevés mais à un potentiel futur, et qui se vendent couramment à cinq ou six fois leur valeur. Je lui dis que je crois pouvoir nous en débarrasser quand le multiple aura grimpé à dix ou onze environ. Je ne manque pas de faire remarquer que la seule faiblesse de ma formule réside dans la concentration sur le rendement supérieur et les bas multiples, ce qui limite quand même mes risques de pertes, de déficit.»

Le visage de Martin reflète le sérieux de ses pensées. Il ajoute d'une voix calme: «J'insiste encore ici sur le fait d'être convaincu de la légitimité de mes transactions; cela découle de mon application à bien faire mes classes avant de contacter qui que ce soit. Je comprends difficilement qu'une émission cotant à un coefficient multiple de seize par action puisse plus tard rapporter du vingt et un. Par contre, j'accepte plus facilement qu'une société qui vend à un coefficient multiple de quatre ou cinq puisse récolter plus tard du sept, huit ou neuf.

«Je recherche également les firmes bien établies où mes clients peuvent investir sans crainte. Ayant accès aux archives de Lehman Brothers, je scrute les émissions aussi consciemment que s'il s'agissait d'une oeuvre d'art, un magnifique tableau par exemple. Chaque placement possède ses propres caractéristiques et je crois sincèrement que personne ne devrait se risquer à en faire un, à moins d'être en état d'acquérir un stock valable à prix exceptionnellement raisonnable. J'insiste fortement sur la nécessité de préserver le capital et l'obtention d'une bonne rentrée de fonds. Je me souviens d'avoir entendu, il y a quelques années, deux agents de change discuter de la façon de traiter un certain compte.

L'un disait qu'il allait tenter d'obtenir un rendement de dix pour cent tandis que l'autre affirmait pouvoir en retirer quatorze pour cent. Ni l'un ni l'autre ne se souciait de la menace qu'il plaçait sur le capital afin d'atteindre leurs chiffres respectifs.»

Lorsque Martin est au téléphone, tout ce qu'il avance ou fait repose sur une base solide. Par exemple, il note et retient le nom de la secrétaire de son client et se fait fort de s'en servir. «Chaque personne pour moi est une entité par elle-même. De plus, la secrétaire peut m'être d'un grand secours et, plus souvent qu'autrement, exercer une certaine influence sur son patron. Alors, il me faut l'avoir de mon côté. Il n'y a pas de mal à cela, que je sache.

«Une autre chose quand je m'adresse à la secrétaire: je lui dis toujours mon nom et celui de ma compagnie d'une façon tellement agréable qu'elle se croit obligée de me retourner la politesse et de m'annoncer plaisamment à son patron. Parfois, simplement la manière de m'annoncer à ce dernier peut le disposer en ma faveur. Par exemple, elle dira, si elle n'aime pas la personne qui appelle: *Il y a ce raseur de monsieur Jones à l'appareil. Dois-je lui dire que vous êtes en conférence?* Mais si elle aime le correspondant, il en ira tout autrement: *Je regrette de vous importuner, mais monsieur Shafiroff est à l'appareil et ça m'a l'air d'être important. Je vous le passe?*»

Normalement, un vendeur éprouve de la difficulté à rejoindre le président d'une importante corporation ou le président d'un conseil d'administration; cependant, Martin affirme qu'il ne rencontre aucun obstacle. Souvent, ces derniers seront occupés mais ils rappellent toujours. Martin attribue son succès au téléphone, succès vraiment prodigieux, au fait qu'il peut toujours se réclamer d'un ami commun et de l'influence prestigieuse qu'exerce Lehman Brothers sur les cadres de sociétés à fonds publics.

Il n'y a pas de doute que le facteur psychologique entre en ligne de compte lors d'un interurbain émanant d'une maison aussi respectée en placements bancaires et ayant pignon sur Wall Street. «Je dois admettre, continue Martin, qu'un cadre, aussi occupé soit-il, sera plus disposé à entrer en communication avec moi qu'avec un parfait inconnu de sa propre localité... probablement parce que l'appel vient de New York, la Mecque de la finance aux yeux de plusieurs, j'imagine.»

Martin Shafiroff est persuadé que sa tactique n'est pas seulement différente de celle des autres agents de change ou courtiers en valeurs, elle est également plus efficace. «Presque chaque présentation comporte trois parties: l'introduction, le corps et la conclusion. Je remarque que la plupart des agents de change concentrent leurs efforts sur le corps. Par exemple, supposons qu'une présentation typique demande ou s'étende sur vingt minutes. Un courtier dans la moyenne consacrera la plus grande partie de ce temps, peut-être un gros quinze minutes, à démontrer pourquoi le client éventuel devrait faire le placement qu'il propose. S'il affecte seulement trois minutes à l'introduction, il disposera alors d'un maigre deux minutes pour solliciter le compte.»

Martin sourit avant de reprendre: «J'aime procéder à l'inverse de cette attitude. Je consacre de soixante à soixante-dix pour cent du temps à essayer d'obtenir le compte. Je commence toujours en faisant ressortir la rentabilité d'une transaction avec telle firme en particulier. Si mon correspondant semble s'y intéresser, je passe immédiatement aux preuves de cette rentabilité et de la chance inouïe qui se présente. Au lieu de dépenser tout mon temps et mes énergies à gloser sur les motifs d'acheter, je fais constamment intervenir la possibilité qu'il me confie le compte.

«Prenons comme exemple une importante compagnie manufacturière XYZ. Au lieu de gaspiller un temps précieux sur la présentation, je décline cinq motifs précis pour lesquels le placement devrait être fait et je demande que l'on me confie le dossier. Si je fais face à un client hésitant, je dis alors: *John, connaissez-vous une autre firme qui vend à quatre fois et demie la valeur de ses actions cette année et peut se vanter d'avoir une ristourne de 16,7 pour cent sur sa valeur nette? Cette firme jouit d'un fonds de roulement de deux millions de dollars environ et sa valeur comptable est de beaucoup supérieure à sa valeur marchande. Sommes-nous alors en mesure d'entrer en compétition avec cette dernière à deux ou trois fois son prix actuel sur le marché? Évidemment que non!*

«En d'autres termes, il s'agit d'aller droit au but. Je demande à un particulier d'investir une large somme simplement parce que je crois en la rentabilité du produit. Je suis persuadé qu'éventuellement, il aura de bonnes rentrées de fonds. Donc, aussi succinctement et rapidement que possible, je stipule les raisons qui me poussent à lui conseiller ce placement: *John, je crois que vous devriez acheter cinq mille actions de XYZ.* Il me répond: *Ça m'a l'air intéressant. J'aimerais y réfléchir un peu.* Je lui demande alors si j'ai oublié quelque chose dans mes explications. J'ai la ferme conviction qu'il me faut battre le fer tandis qu'il est chaud et, à l'encontre des courtiers ordinaires, je me dois de percer la carapace de mon client éventuel. Je ne dois pas craindre de revenir à la charge. Il me faut à tout prix découvrir les vraies raisons de son hésitation. S'il tombe d'accord avec moi que ces actions représentent une excellente affaire, je tente alors de renverser les obstacles et de l'amener à vouloir faire ce placement en lui prouvant que ce que je lui offre sera rentable.

«Une fois lancé, je poursuis inlassablement mes questions: *Ai-je omis quelque chose d'important dans ma présentation?* Il répondra peut-être: *Je désire pour le moment réviser mes fonds.* Bon, maintenant, je sais à quoi m'en tenir, je peux mordre dans quelque chose. Je lui rétorque que je l'ai appelé parce que je sais que le prix est très avantageux et que le temps ne peut être plus propice à l'investissement. Je suggère alors qu'il place une partie de ses fonds dans ce compte afin d'en retirer les avantages au prix actuel. Je tente de faire pencher la balance en ma faveur. Il a peut-être en tête un montant minimal dont il pourrait disposer; alors, pourquoi ne pas l'investir tout de suite!»

Martin résume alors: «Comme vous pouvez le constater, les courtiers ou agents de change se fourvoient lorsqu'ils s'acharnent à diviser leur présentation en trois parties bien étanches: le commencement, le milieu et la conclusion. Je procède autrement, en ce sens que je ne m'éternise pas sur tel ou tel point; je fusionne plutôt que je divise; je réduis le temps d'introduction à trois minutes, mes raisons couvrent environ trois ou quatre minutes et j'ai toute la latitude de pousser alors mon client jusque dans ses derniers retranchements, c'est-à-dire que je puis disposer de douze ou quinze minutes pour obtenir le compte envisagé. Cette méthode a un rebondissement fantastique sur les affaires que je traite. Je dois répéter ici que, pendant que mon client éventuel rumine ma demande, je continue de faire surgir les images qui finiront par le persuader de la rentabilité de ce que je propose. Il s'ensuit que je ne divise pas ma présentation de façon typique, ce qui n'empêche pas une entrée en matière agrémentée d'une liste de cinq raisons précises pour lesquelles le placement devrait se faire. Le moment d'obtenir le compte devient pour moi *l'heure de vérité*, et j'en profite pour insister sur la nécessité d'agir à ce moment-là.»

Martin est d'avis que le courtier ordinaire se contente de solliciter une seule fois: lui, il revient à la charge. «Je pense que le particulier ne réfléchit pas souvent à la nature et au pourquoi du placement: il ne voit que le produit. Il se réfugie alors derrière une épaisse carapace parce qu'il ne veut pas se départir de ses dollars. Souvent, un agent de change se laissera prendre aux raisons réelles ou non invoquées par le cadre qui se refuse à faire la transaction proposée.

«Je crois que ce genre de réaction provient d'un mécanisme de défense presque inconscient de la part d'un investisseur possible. Je n'infère pas de motifs hautement psychologiques. Je pense tout simplement que le cadre moyen, étant sollicité de toutes parts, finit par se cantonner dans une espèce de rigidité qui le fait rejeter d'emblée une proposition de placement rentable. Soyons réalistes! Ce particulier a été inondé d'imprécisions depuis de nombreuses années probablement. Le même jeu se répète tous les jours. Il vient peut-être de rencontrer son représentant d'assurance qui lui suggère d'augmenter les primes de sa police d'assurance-vie. Sa femme le presse d'acheter une seconde maison. Il projette, peut-on savoir, de se procurer une nouvelle voiture. Il y a aussi, sait-on jamais, un autre courtier en valeurs dans le paysage qui tente de lui faire acquérir des obligations. Il lui est virtuellement impossible de souscrire à toutes ces demandes parce que son capital, après tout, n'est pas illimité. De là ce mécanisme de défense dont il ignore probablement lui-même l'existence. Il faut donc comprendre qu'un investisseur éventuel pourra refuser bien plus souvent qu'il n'accédera à vos demandes. Me reposant sur ce fait, je pense que la manière de jeter bas cette barrière inconsciente consiste à faire usage d'une approche stratégique fortement teintée de philosophie. Pour tout dire, au lieu de penser en termes de valeurs, de ventes de valeurs, obligations ou immeubles, je dois me faire marchand d'idées, de conceptions philosophiques.

«Comme je l'ai dit plus haut, je traite avec des cadres nettement en faveur de concepts. Ce sont des gens qui ont réussi, à travers monts et marées, à atteindre les plus hauts sommets dans leurs secteurs. Donc, ils sont en quête de quelque chose de différent, de quelque chose d'original, de significatif. Ces particuliers sont en mesure de comprendre bien plus facilement une approche stratégique et philosophique que l'investisseur moyen.»

Martin fait une courte pause, puis reprend: «J'ai remarqué que lorsque la plupart des courtiers rencontrent une fin de non recevoir au téléphone, ils se contentent de raccrocher. Ils ont bien sollicité le compte mais, quand l'interlocuteur a répondu: *Cela ne m'intéresse pas!* ou *Donnez-moi le temps d'y réfléchir!*, pour eux, tout s'est arrêté là. Je crois que la personne qui veut rencontrer le succès dans notre genre d'entreprise doit pouvoir percer toute réticence et découvrir la raison du refus. Comme je l'ai fait remarquer, ce mécanisme de défense possède plusieurs couches d'épaisseur que le courtier devra faire disparaître une à une. Ma formule consiste à me placer sur le chemin de la réussite et à faire en sorte de m'y maintenir. Lorsque vous présentez un projet d'investissement et que vous sollicitez le compte, le correspondant peut demander un délai. Il dira par exemple: *Donnez-moi le temps d'y penser.* Du coup, il peut vous désarçonner, vous jeter hors de votre voie. On vient de vous présenter une excuse courante que vous vous devez de convertir en objection spécifique. Et cela est primordial car, autrement, vous vous trouverez dans l'impossibilité de comprendre les raisons de son attitude négative. Quand le particulier désire prendre le temps de penser avant de poser le geste, je m'enquiers: *Ai-je omis un point important dans ma présentation? Y a-t-il autre chose que vous désirez savoir?* Il pourrait répondre: *Non, je veux seulement vérifier l'état de mes finances.* Il est de prime importance alors de replacer le sujet dans sa propre perspective. Une fois cette étape franchie, je réitère mon offre.

«Si le client n'est pas sûr de ses moyens financiers, je lui demande alors combien il pense pouvoir investir. Je pourrai suggérer qu'il lui serait avantageux de s'en tenir à un minimum pour l'instant. L'essentiel, comme je l'ai répété, c'est que je dois croire profondément en ce que je fais. Je dois être convaincu que le prix courant du marché est ce qui lui convient et que je puis me reposer sans crainte sur la recommandation de Lehman Brothers quant au prix de l'action.

«Je suis persuadé que le particulier reconnaît un concept et, s'il ajoute réellement foi à mes paroles, il est prêt à faire un placement à ce moment-là. Donc, il dépend de moi de savoir faire passer mes convictions en les exposant clairement. Si un client éventuel me répond qu'il aimerait y penser un peu, je dois alors me poser les questions suivantes: *À quoi veut-il penser? Veut-il gagner du temps parce qu'il n'a pas toutes les données?* S'il semble que ce soit là la raison, je le lui demande tout simplement. S'il désire plus de renseignements, je les lui donnerai mais, auparavant, je veille à le ramener dans ma ligne de pensée. Je reviendrai à la charge plusieurs fois si nécessaire pour obtenir le compte. Certes, il est facile d'aller de l'avant lorsque le particulier est pleinement d'accord avec votre proposition. Le courtier ordinaire peut être déboussolé devant les objections du client éventuel. Je sais à ce moment-là que je dois tenter de contourner l'obstacle et ramener mon client sur le chemin que je poursuis. Suite à des analyses poussées de dossiers, je me suis rendu compte que la personne qui revient à la charge au moins trois fois a des chances de réussir davantage que celle qui se limite à un seul essai.»

Martin continue d'une voix posée et calme: «Je crois également que le courtier efficace doit posséder à fond l'art de savoir écouter. C'est pourquoi je tente de converser avec mon interlocuteur plutôt que de me cantonner dans un monologue. Je dirai, par exemple: *Êtes-vous d'accord qu'une firme présentant de tels rendements, un tel taux de croissance et ce coefficient multiple de quatre fois et demie la valeur actuelle de l'action, représente un placement intéressant?* Je crois fermement qu'il importe d'amener le client à répondre dans l'affirmative. Lorsque j'obtiens ce genre de réplique, je marque un temps d'arrêt pour lui permettre de me faire connaître le fond de sa pensée. Vous savez, il est vraiment difficile à un particulier de dire oui quatre ou cinq fois pour terminer par un non retentissant lorsque vous sollicitez le compte. Si, par malheur, le cas se présente, je lance: *Pourtant, vous êtes bien d'accord sur la valeur de ce placement. Vous avez endossé tout ce que j'ai dit sur les raisons d'investir ici. Ne serait-il pas logique que vous continuiez dans cet ordre d'idées et deveniez un actionnaire de cette firme?*»

À prime abord, il paraît surprenant qu'une personne puisse réussir à convaincre par téléphone une autre personne d'investir ses avoirs personnels dans des comptes frôlant le million. Cela peut paraître encore plus renversant lorsque Martin contacte une personne pour la toute première fois - souvenez-vous qu'il n'a jamais rencontré la majorité de ses clients en personne. Martin ne croit pas que cela soit aussi extraordinaire. Il explique: «Le fait que je sois convaincu de mon affaire et que j'aie confiance en ma méthode m'aide à convaincre mes clients. Je sais qu'un cadre sera disposé à traiter avec moi s'il pressent que je puis l'aider à augmenter ses revenus de façon sérieuse. Je ne crois pas qu'un particulier avec qui je fais affaire ou à qui je m'adresse, n'hésiterait à me confier son compte s'il n'était au courant de la manière dont je mène ma barque. Je dis souvent au cadre que je contacte qu'il sera d'accord avec moi que personne n'est infaillible. Je lui laisse bien entendre que je me spécialise dans mon genre de travail et qu'il ne me viendrait pas à l'idée de lui proposer la même sorte de placement que son agent de change habituel. Mon offre est unique. S'il éprouve une grande confiance en son propre courtier en valeurs et qu'il ne veuille pas le laisser tomber, comme c'est souvent le cas, je lui affirme alors que, si je réussis avec son compte, cela signifiera plus d'argent à investir avec moi et, par ricochet, plus d'affaires pour son courtier local.»

Martin revient souvent sur la nécessité d'être convaincu et il n'hésite pas à faire les recherches et analyses nécessaires pour pouvoir offrir des valeurs sûres à ses clients. «Je crois qu'une personne ne peut être un touche-à-tout et réussir. Aujourd'hui, dans le monde des affaires, il faut être spécialiste. Je suis persuadé que le grand problème sur lequel les agents de change butent en général réside dans le fait qu'ils se croient tenus de faire patte de velours devant les caprices de leurs clients éventuels. Quand je vois qu'un particulier ne semble pas saisir ma manière de procéder ou que, pour une raison ou pour une autre, il ne paraît pas disposé à accepter ma proposition, je lui suggère alors de s'adresser à un autre courtier. Je crois qu'il me faut agir de la sorte car, autrement, mes convictions seraient ébranlées, mes énergies éparpillées; je perdrais ma crédibilité, mon autorité. Je préfère passer maître dans un seul ordre d'affaires que d'être médiocre dans dix autres.»

Martin adopte une attitude vraiment positive dans ses relations avec ses clients qui se classent parmi les cadres les plus dynamiques du pays. Naturellement, cela rapporte des dividendes. Il n'est pas toujours de tout repos de frayer avec des cadres continuellement survoltés et dont le moi est nettement démesuré, mais il a appris à composer avec eux. Il affirme: «Je trouve même que leur égoïsme est un facteur positif dans nos relations. Celui-ci, couplé de mon approche philosophique, me fera dire: *Bon, vous êtes le chef de votre entreprise. Donc, vous, plus que tout autre, êtes capable de reconnaître les vraies valeurs. Si on vous en donnait la chance, et si vous possédiez tout le comptant qu'elle représente, je prédis que vous seriez prêt sur l'heure à acquérir la compagnie dans son entier.* Ici, je parle son langage car les hommes d'affaires sont bien au courant des valeurs.

«À ce rythme, je crois que mon interlocuteur souscrit à mon projet et il se rend compte que je connais bien mon produit; il en est même heureux. Une fois sa confiance acquise, la partie est gagnée.»

Martin est devenu courtier en valeurs en 1966 auprès de la firme Eastman Dillon, après avoir tâté de la vente industrielle pendant trois années durant lesquelles il s'est fait en moyenne huit mille dollars par année. Il joignit les rangs de Lehman Brothers en 1969 et, dès 1971, après cinq ans consacrés au courtage des valeurs, son revenu annuel était passé à $325 000. La majeure partie de sa réussite vient de sa ténacité et de son travail acharné dans un secteur où la concurrence est la plus élevée au monde. «Je trouve que trop de gens craignent l'insuccès, dit-il. Ils sont tellement préoccupés par la peur de l'échec que leur attitude s'en ressent. Je crois au contraire qu'une personne avisée peut se servir de ses échecs dans sa montée vers le succès. Quand un particulier réussit à se persuader que le temps est son meilleur allié en lui permettant constamment de s'améliorer en même temps que ses méthodes, alors il peut marcher allègrement sur la route du succès.

«Ma formule repose sur une base mathématique. Je sais que, pour un individu qui rejette ma conception à cause de mauvaises expériences passées et du mécanisme de défense qui en découle, il y en a un autre disposé à accepter cette même proposition, cette même conviction afin d'aboutir au succès financier. Je n'en démords pas. Le succès s'apprend tout comme l'art de bâtir avec des blocs-jouets lorsque nous étions enfants. Dans le domaine des valeurs, je crois qu'un particulier doit se fixer une cible pour les appels téléphoniques qu'il complète; voilà où les mathématiques entrent en jeu. Après un certain temps, suite à une analyse sérieuse des refus qu'il a essuyés, il sera en mesure de fignoler sa technique à un point tel que le succès couronnera ses efforts. C'est précisément ce que j'ai fait.»

Martin se penche vers moi: «Une autre façon d'apprendre, c'est de savoir se servir souvent du mot POURQUOI. Lorsque j'essuie un refus, je pense immédiatement au mécanisme de défense et je me dis: *Mais pourquoi?* Je demande une explication et je sais que je vais obtenir une réponse que j'écoute attentivement. Souvent, lorsque mon interlocuteur m'affirme ne pas posséder les fonds nécessaires, j'interprète ces paroles comme un reproche à mon endroit: je n'ai pas été assez convaincant. Je n'ai tout simplement pas réussi à établir le contact.

«Quand je n'ai pas réussi à persuader un client de partager ma conviction, je me hâte de revoir ma présentation en profondeur afin d'y découvrir ce qui a cloché. J'avise alors des améliorations à y apporter. De la sorte, je comprends mieux ce qui n'a pas marché. Je sais aussi que, mathématiquement parlant, un appel sur trois pourra se transformer en compte; ainsi, chaque refus me rapproche davantage d'un acquiescement.»

Une autre qualité remarquable de Martin est la persévérance. Il est le premier à l'admettre: «Je suis tenace et je crois fermement que cela rapporte. Je me rappelle un particulier que j'ai dû contacter au moins quinze fois avant d'effectuer une percée. En fait, il fit même remarquer que j'étais un des pires crampons qu'il ait jamais rencontrés. Par la suite, nous avons pu conclure de très bonnes transactions ensemble.»

Par son habitude d'analyser sérieusement ce qu'il fait, Martin a pu se représenter ses chances mathématiques d'obtenir le plus haut rendement en raison de la somme d'énergie qu'il dépense. Il sait, par exemple, que si un client éventuel temporise, hésite au téléphone et demande à réfléchir, à moins de parvenir à renverser ses objections, les chances de décrocher le compte sont presque nulles. Martin possède un truc pour utiliser son temps au maximum. Il connaît à fond son produit de même que son client. Pour tout dire, Martin a mis tous les atouts dans son jeu et il consent volontiers à travailler de longues heures afin d'atteindre des résultats spectaculaires.

Martin s'est maintenant fixé l'objectif de porter ses revenus de courtage à plus de $3 000 000. En moins de deux ans, ce sera chose faite, n'en doutez pas.

9

J. Michael Curto

US Steel

«La vente en douceur d'un métal dur...»

J. Michael Curto est vice-président du groupe-acier du United States Steel Corporation. Ses responsabilités incluent la coordination et la direction des activités des quatre divisions produisant de l'acier et celles du personnel de vente.

Mike est entré à l'US Steel en 1937. Il a commencé sa carrière dans le bureau de vente de Philadelphie et est devenu vendeur en 1939. Il l'est resté jusqu'en 1943, alors qu'il est entré dans la marine. Il fut libéré avec le titre de lieutenant et il est retourné à l'US Steel en 1946.

Il a été nommé adjoint du gérant des ventes de Pittsburgh en 1950 et assistant-gérant deux ans plus tard. En 1957, il était nommé gérant des ventes du bureau de New York. Le 1er janvier 1964, Mike a été nommé vice-président des ventes de l'Est du pays et assumait le poste de vice-président du marketing le 1er mars 1972.

Le 1er janvier 1974, quatre divisions d'acier ont été créées au sein de la US Steel et chargées de la coordination de la production et des ventes des produits en acier dans chacune des régions géographiques du pays. Mike a été nommé vice-président et gérant général de la division acier pour l'Est du pays.

C'est le 1er avril 1975 qu'il a été élu au poste nouvellement créé de vice-président-acier, poste qu'il occupe actuellement.

Mike est membre de l'American Iron and Steel Institute et membre du conseil du Shadyside Hospital, membre du bureau des gouverneurs de la plus grande Chambre de Commerce de Pittsburgh, membre de l'Association de l'école de Commerce de Harvard à Pittsburgh et du comité de la Princeton Alumni Association de l'ouest de la Pennsylvanie. Il joue un rôle actif dans la Pittsburgh Symphony et c'est lui qui était à la tête du comité de la campagne industrielle de 1977.

Il est né à Latrobe, en Pennsylvanie, le 3 août 1914. Il est diplômé de la Kiski Preparatory School et en 1936, il a obtenu son diplôme de la Princeton University où il s'était spécialisé en sciences politiques et en droit. Il détient aussi un diplôme de l'école de commerce de Harvard.

Mike et sa femme, Marylou, vivent à Pittsburgh. Ils ont un fils, Thomas et une fille, Christine Tullo. Mike aime le golf, et lui et sa femme passent beaucoup de temps dans leur résidence secondaire près de Palm Beach, en Floride.

L'United Steel Corporation est la plus grosse compagnie d'acier des États-Unis et l'une des plus grosses au monde. Elle se divise en quatre groupes. Et Mike Curto dirige le plus important et le plus prestigieux - celui de l'acier, qui rapporte près du quart des revenus annuels de cette société, qui s'élèvent à près de $9 milliards. La tâche imposante de Mike fait qu'il doit rendre des comptes au président de la compagnie en ce qui a trait à la rentabilité de ce produit; et en tant que vice-président, il coordonne toutes les activités de fabrication, distribution et vente de l'acier.

Présentement, l'US Steel compte une équipe de 190 vendeurs qui vendent pour environ $7 milliards d'acier par an. Cela représente $35 millions par vendeur - soit le plus gros volume de vente de toutes les compagnies de cette dimension à travers le monde. Si l'on va plus loin, on s'aperçoit que cette société gigantesque a environ 10 000 clients et que 20 pour cent d'entre eux se partagent 80 pour cent des ventes. Il y a bien sûr General Motors, le plus gros acheteur d'acier au monde! Étant donné les qualités uniques de ce produit et le total impressionnant des ventes par client, on se demande s'il n'y a pas une histoire fascinante à l'arrière de cette réussite, ou bien une philosophie que Mike Curto aurait implantée au cours de ces quarante dernières années.

J. MICHAEL CURTO

Peu après avoir terminé ses cours à l'Université Princeton, en 1936, Mike est entré comme vendeur chez US Steel. En fait, il a commencé sa carrière de vendeur alors qu'il avait encore une bourse scolaire de l'Université Princeton. («J'étais probablement le seul gars dans la trentaine dans tout l'ouest de la Pennsylvanie qui n'avait pas une bourse pour le football.»); il avait été représentant pour plusieurs journaux de New York et quelques magazines. «Je vendais le New York *Herald Tribune,* le New York *World Telegram,* le New York *Sun* et le *New York Times.* Je vendais aussi des magazines comme le *Time* et *Fortune.* J'avais mis au point un système de livraison qui permettait aux étudiants d'avoir leur journal du matin ou du soir à leur porte. Ce fut une expérience fantastique; et c'est comme ça que j'en suis venu à la vente.

«Vous savez, ajoute-t-il, j'ai réussi à gagner $2 000 au cours de ma dernière année et lorsque j'ai commencé à travailler, après mes études, j'avais un salaire de soixante-douze dollars par mois! J'ai travaillé pour un homme qui inaugurait un magazine sportif et il m'a engagé à cause de l'expérience de livraison que j'avais eue au collège.

«C'était une petite entreprise, alors je faisais tout. J'étais responsable de la vente, de la publicité, de la distribution et même de certains reportages. L'entreprise n'a pas tenu longtemps car ce magazine ne paraissait qu'une fois par mois et qu'un événement sportif vieux de trente jours n'intéresse plus personne. Soit dit en passant, ce magazine s'appelait *Sports Illustrated;* on a vendu le nom à Time Inc. qui a su populariser le magazine en le publiant une fois par semaine.

«Au printemps 1937, je travaillais comme reporter dans un tournoi de golf qui se tenait à Pittsburgh et un ancien ami à moi, qui m'avait aidé à obtenir ma bourse à Princeton, me dit à quel point cela le décevait de voir une personne avec une instruction comme la mienne se lancer dans le reportage sportif. Il me suggéra d'aller à l'US Steel pour une entrevue pendant que je me trouvais à Pittsburgh. Il y avait cinq cents candidats qui se présentaient pour l'emploi à la Carnegie Steel à Pittsburgh et cinq cents autres venant de l'Illinois Steel à Chicago; voyez-vous, c'était avant la fusion et la formation de la US Steel telle qu'elle est aujourd'hui. Les candidats furent tous éliminés sauf sept et il y avait six postes à combler. Je reçus un télégramme à New York me demandant d'être à Pittsburgh deux jours après pour la décision finale. Nous nous sommes tous présentés dans le bureau du vice-président des ventes et nous savions tous que l'un d'entre nous allait échouer. Ce ne fut pas moi! En fait, celui qui ne fut pas choisi fut engagé pour le programme d'entraînement l'année suivante.» Mike avait réussi - et n'a pas cessé de réussir à l'US Steel depuis ce temps.

Tous ces jeunes gens, sauf un, engagés comme vendeurs, ont fait carrière à l'US Steel. Cette longévité est très révélatrice de la philosophie des ventes de la compagnie. À l'encontre de la plupart des organismes de vente, la US Steel a très peu de changement de vendeurs; la raison en est la façon dont cette compagnie prépare ses vendeurs. «Nous avons un programme de formation très complet, explique Mike. Un nouvel employé passe beaucoup de temps à apprendre à connaître les procédés de fabrication. Il passe beaucoup de temps à apprendre les techniques de fabrication utilisées dans les laminoirs. Il le fait en tant qu'observateur car il ne serait pas pratique pour lui de travailler dans l'usine pendant un mois ou deux... bien que cette idée m'ait déjà effleuré.

«Puis le novice passe par les différents services de l'usine et apprend à connaître ainsi nos différents produits, poursuit Mike. Nous le formons également pour la vente en l'envoyant voir les clients avec un vendeur expérimenté.»

Ce cadre de l'acier à l'air distingué se cale dans son fauteuil et continue doucement: «Il y a eu un changement important depuis que j'ai commencé à travailler ici. Avant, les ventes faisaient partie d'un service à part, ce qui fait que nous avions un groupe de personnes à part au sein de l'entreprise. La compagnie était structurée de façon à ce qu'un vendeur puisse grimper les échelons jusqu'au poste de vice-président des ventes. Sa seule fonction était de vendre et il n'avait aucun contact avec les autres opérations de l'entreprise. De la même façon, l'autre côté de l'entreprise formait des experts en laminage qui eux, grimpaient les échelons jusqu'au poste de vice-président des opérations.

«Nous avons donc changé notre organisation et nous avons maintenant un vice-président et un gérant général de division qui s'occupent et des opérations et de la vente et nous avons formé des groupes plus petits composés d'employés de production et de vendeurs qui travaillent tous ensemble. Ces unités dépendent du vice-président et du gérant général de la division. J'ai beaucoup aidé à la mise au point de ce programme de croisement. J'aime beaucoup ce programme que j'appelle le programme de familiarisation car il expose le nouvel arrivant à toutes les facettes de notre entreprise. Qu'il soit engagé comme vendeur ou comme employé de production, nous le familiarisons avec toutes les facettes de la compagnie. Par exemple, celui qui entre ici comme vendeur passera une certaine partie de sa carrière dans les services de production avant d'être envoyé au bureau des finances et ainsi de suite, jusqu'à ce qu'il connaisse bien tous les services. Nous lui donnons une bonne base afin qu'il soit capable de travailler avec les différents employés de notre entreprise, comme par exemple, avec un ingénieur.

«Nous essayons d'orienter nos employés vers une connaissance générale de l'entreprise de sorte que, lorsqu'ils auront à prendre une décision, cette connaissance étendue les aidera à prendre la bonne, dit Mike avec emphase. Lorsque vous prenez une compagnie comme l'US Steel, qui a des revenus de neuf milliards de dollars, il est important d'avoir des personnes qui savent prendre des décisions tout au long de la chaîne de commande.»

Ce programme de familiarisation permet à la personne qui a su se constituer un bon dossier soit du côté opérations, soit du côté ventes, d'atteindre les niveaux moyens de la gérance et d'être promue à mesure qu'elle poursuit sa carrière chez US Steel. Ce sont ces chances de promotions offertes aux personnes compétentes qui sont responsables du faible pourcentage d'employés quittant l'US Steel.

«Bien que nos vendeurs ne travaillent pas à la commission, dit Mike, ils n'en sont pas moins motivés à cause du système de promotion qui se base sur l'efficacité de l'individu. Les vendeurs à la commission peuvent gagner gros en une année, mais tous les ans, ils doivent repartir à zéro. Avec des clients aussi importants que la General Motors, avec lesquels plusieurs de nos vendeurs sont impliqués - y compris notre président du conseil - nous n'avons aucun moyen de calculer les commissions. Cependant, nous offrons des primes qui réussissent à motiver nos employés. Bien sûr, avec les chances de promotion que nous offrons, nos vendeurs ont toutes les raisons du monde d'être motivés, même s'ils ne touchent pas de commissions.

«La situation est unique chez US Steel, explique Mike, car l'industrie de l'acier a connu dans l'histoire deux courbes de progression verticales; l'individu ne pouvait se trouver que dans la vente ou dans les opérations. Ce qui fait qu'il y avait une ligne de démarcation très nette et que les vendeurs accusaient les employés de production de tous leurs maux et vice versa. Les employés de production disaient: *Vous, les vendeurs, vous ne comprenez pas le problème.* C'est pourquoi nous avons instauré ce programme qui permet à chacun d'apprendre et de comprendre les problèmes des autres et de nous obtenir ainsi la collaboration de tous, à tous les niveaux.»

Il est important de bien comprendre qu'on ne vend pas de l'acier comme on vend autre chose. Comme le dit Mike: «Lorsque vous vendez un produit de base comme l'acier, par opposition à autre chose, il faut comprendre que ce que l'on vend n'est pas très différent de ce que vend notre concurrent. Pour faire de l'acier, on prend du minerai de fer, on le raffine et on obtient un produit semi-fini. On peut alors avoir une feuille d'acier qui pourra être façonnée pour former un pare-chocs d'automobile. Ou bien, on peut parler d'une poutre qui fera éventuellement partie d'un édifice, mais il faut bien comprendre que dans les deux cas, on ne vend pas notre produit au consommateur ultime.

«Il ne faut pas oublier non plus que l'on commence avec le même kilo de minerai de fer que notre concurrent et que bien que nous travaillions très fort pour obtenir un acier de meilleure qualité, nous produisons essentiellement le même produit. C'est, de toute évidence, sur la qualité que nous jouons, mais depuis que la US Steel existe, soit soixante-seize ans, les principales améliorations ont été faites au niveau du produit semi-fini, afin d'en tirer un produit fini encore plus raffiné. Et vous devez vous souvenir que le concurrent progresse généralement au même rythme que nous. Nous ne disposons donc pas des mêmes éléments de vente que dans les autres domaines.

«Par exemple, nous n'avons pas de nouveaux modèles à présenter tous les ans. On ne peut pas prendre le produit de cette année et dépenser des millions de dollars en publicité pour faire savoir à notre client ce qu'on peut lui offrir. On ne dispose pas d'un produit unique une année pour ensuite l'améliorer l'année suivante. Donc, bien qu'il appert en surface qu'il n'y ait pas grand-chose à vendre puisque les différences entre notre produit et celui de nos compétiteurs sont si minimes, ce qu'il nous faut vendre, c'est le *service*. Nos vendeurs doivent convaincre le client que nous sommes les meilleurs dans ce domaine et qu'à long terme, il vaut mieux qu'il négocie avec nous. Il faut que le vendeur s'attire la confiance du client; il doit être persuadé que les produits de l'US Steel sont non seulement supérieurs à ceux que peuvent vendre les concurrents, mais qu'ils sont également les meilleurs qu'il soit possible de produire. Et il doit être absolument sûr que les produits soient réellement aussi bons qu'il le prétend car le client traite avec lui à plusieurs reprises au cours de l'année. Ce n'est pas comme vendre un produit et s'en aller. Ce n'est pas comme vendre dans un magasin ou de porte en porte. Vous savez, le colporteur sonne à la porte et il a cinq minutes pour parler avec la femme qui lui ouvre, alors il faut qu'il se dépêche! Dans notre domaine, le vendeur peut aller voir un client semaine après semaine pendant plusieurs années et sur cette base, il ne peut compter s'en tirer avec une plaisanterie.

«Nos vendeurs doivent établir une relation durable avec le client, explique Mike. Il ne peut compter sur un dîner, un verre pris avec lui ou une partie de golf. Les acheteurs d'aujourd'hui sont des professionnels très compétents et on ne peut plus compter que sur la bonne chair pour négocier avec eux! Et je suis persuadé que l'acheteur n'aime pas ces techniques de vente. Aujourd'hui, le vendeur d'acier doit s'attirer la confiance du client en lui montrant qu'il comprend ses problèmes. Qu'il s'agisse d'un fabricant de voitures, d'appareils ménagers ou de poutres d'acier pour la construction, le vendeur doit comprendre les problèmes de son client et les transmettre convenablement à la direction de l'US Steel.»

Mike s'arrête et réfléchit. «Il y a quelques années, alors que j'étais vice-président des ventes dans l'Est du pays, j'allais voir un important acheteur d'acier qui donnait toutes ses commandes à une autre compagnie d'acier. Il se montrait très fidèle à cette compagnie car, lorsqu'il avait monté sa propre entreprise, c'est ce producteur d'acier qui l'avait aidé financièrement. Je continuai à aller le voir mais je me rendis compte que sa loyauté était si forte que je me serais enlevé toutes mes chances en l'attaquant de façon agressive. Je sentis aussi que si je ne lâchais pas, je finirais peut-être par l'avoir comme client.

«Je continuai donc à lui rendre visite et nous sommes devenus amis, mais il n'achetait toujours pas de moi. J'essayai subtilement de l'attirer à l'US Steel. Ce qui se passa, c'est que la compagnie d'acier concurrente fut reprise par un conglomérat et que la nouvelle direction congédia tous les anciens amis de ce client. Et j'étais là... attendant de négocier avec lui. Et c'est arrivé. Nous avons eu sa clientèle. Je veux faire remarquer que cette histoire s'est déroulée sur une période de deux ans, que je savais pertinemment qu'en poussant la vente, j'aurais perdu le client, alors j'ai joué sur la patience. J'ai attendu et lorsqu'il nous appela enfin pour nous passer une commande, il fit de nous son principal fournisseur.»

Mike se renverse sur son siège, se détend et continue. «Comme je le disais plus tôt, nos vendeurs reçoivent une très bonne formation sur les fondements de nos opérations et nous leur demandons de bien comprendre les exigences du client. Lorsqu'il a établi le contact avec le client, il est important qu'il détermine quand l'équipe technique entre en jeu. Par exemple, nous avons des métallurgistes qui ont consacré leur vie à cette partie de nos opérations. Donc, lorsque le vendeur vend une feuille de métal à General Motors qui veut en faire un pare-chocs, c'est au métallurgiste de résoudre tous les problèmes. Par exemple, il peut y avoir un bris dans ce pare-chocs. Le vendeur amène alors le métallurgiste pour savoir pourquoi l'acier brise dans le moule et pour trouver les solutions adéquates. Comme vous pouvez le voir, c'est un travail d'équipe lorsque le vendeur demande l'aide du personnel technique pour résoudre les problèmes du client.

«Un autre point, c'est que l'US Steel compte plus de mille employés dans son groupe de recherche et plusieurs d'entre eux détiennent un doctorat. Le produit de base, l'acier, n'est qu'un début. Ce que notre équipe technique fait pour le client fait toute la différence. Nous amenons notre personnel technique chez le client, ce qui leur permet de connaître le personnel de production et de travailler en étroite collaboration avec eux. C'est un effort d'équipe. Et nous aimons que nos clients pensent que nous faisons partie de leur équipe. Nous travaillons avec eux pour résoudre leurs problèmes de fabrication... Il est important que le client sache que nous sommes toujours là.

«Il ne faut pas oublier que la concurrence est également très qualifiée, ajoute Mike. Elle a aussi ses experts qui se spécialisent en métallurgie. Mais nous pensons que c'est nous qui offrons le meilleur service dans l'industrie.»

Mike a l'air sûr de lui lorsqu'il parle. Son attitude, sa façon très conservatrice de s'habiller, des gestes lents nous font penser à ceux d'un banquier ou d'un courtier de Wall Street et non pas à un travailleur de l'acier tel qu'on serait porter à l'imaginer. «Je vous le disais tout à l'heure, je suis vice-président du groupe acier et je m'occupe des ventes et des opérations. Il faut comprendre que l'on ne peut diriger une aciérie sans commandements; c'est pourquoi je passe encore beaucoup de temps à ce qui m'est tellement familier; la vente. Nous venons tout juste de gagner une bataille importante: notre campagne contre les contenants en aluminium pour la bière et les boissons gazeuses. Comme vous vous en souvenez peut-être, les contenants pour la bière et les boissons gazeuses étaient, à l'origine, en acier, mais les fabricants d'aluminium, avec leur *couvercle facile à ouvrir,* se sont infiltrés dans le domaine et ont mis au point un contenant en aluminium en deux morceaux, qui pouvait être fabriqué au rythme de 800 unités à la minute. Bien que l'aluminium soit plus dispendieux que l'acier, c'est le facteur-temps qui a joué, car nous ne pouvions en produire que 500 ou 600 à la minute. Cela peut ne pas vous sembler important mais lorsque vous parlez en termes de productivité, la différence est flagrante. Et bien que l'acier soit un métal meilleur marché, il était plus économique d'utiliser l'aluminium.»

Mike rayonne. «Je suis fier d'annoncer que nous avons réussi notre campagne et que vous allez bientôt voir apparaître sur le marché des contenants en acier. Au niveau de la vente, ce fut là un effort énorme qui nous a demandé deux ans. Nous avons formé une équipe de recherche et de développement et nous avons installé un équipement spécial dans notre laboratoire afin de nous attaquer à ce problème. Nous pouvons maintenant produire des contenants en acier au rythme de 900 à la minute. Nous sommes allés voir les fabricants de bière et de boissons gazeuses du pays afin de les convaincre de la supériorité de l'acier par rapport à l'aluminium. Il nous fallait aussi obtenir le soutien de l'industrie des contenants, des compagnies comme American Can, Crown Cork and Seal et National Can. Mais ce sont les fabricants de bière et de boissons gazeuses qui achètent les contenants. Ce fut une campagne très longue parce que nous étions obligés d'aller voir les gens de Anheuser Busch, Pabst, Schlitz et autres brasseurs de bière. Il fallait leur vendre l'idée que l'acier était mieux que l'aluminium. Alors, vous voyez, nous avons mis au point un produit qui était comparable à l'aluminium, mais avec l'acier qui est moins cher. Nous pensons que notre potentiel sur le marché est de quatorze milliards de contenants pour la bière. Cela représente 700 000 tonnes d'acier - soit $350 000 000 de chiffre d'affaires. C'est une partie importante de nos ventes.

«Il faut bien voir le travail d'équipe qui nous a permis de remporter cette bataille, explique Mike. Il a fallu de longues recherches pour mettre au point une chaîne de fabrication de contenants type. Il nous a fallu rassembler tous nos experts de mise en marché et de production. Il a fallu beaucoup de recherches, de temps et d'énergie avant que nous puissions aller voir nos clients. Il nous fallait avoir un produit à leur montrer. Je pense que cela illustre bien ce que je disais tout à l'heure sur la formation de nos employés de façon à ce qu'ils comprennent bien tous les différents aspects de notre entreprise. Cette campagne a exigé énormément de coordination et de collaboration pour que nous puissions réussir.»

Après un bref arrêt, Mike poursuit. «De nombreux produits spéciaux exigent que nous travaillions avec le client afin de résoudre ses problèmes. Un bon exemple en est notre travail d'équipe auprès de l'industrie automobile. Il nous a fallu installer tout un dispositif spécial pour fabriquer le genre d'acier qui convenait au convertisseur catalytique. Et c'est là un risque calculé, car nous ne savons jamais pendant combien de temps les convertisseurs catalytiques seront en demande. Il y a toujours la possibilité de la mise au point d'une autre technique pour le traitement des gaz d'échappement. Un autre bon exemple du genre de collaboration que nous offrons à nos clients est le revêtement galvanisé que les compagnies automobiles ont été forcées d'offrir sur leurs nouveaux modèles de voitures. Le public a commencé à demander des voitures qui ne seraient pas rongées par la rouille et la corrosion comme celles qui étaient fabriquées à Détroit. Nous avons travaillé avec eux et avons mis au point un produit à Gary; mais laissez-moi vous dire que cela nous a coûté cher tant pour la recherche que pour l'installation. Il nous a fallu mettre au point un métal en feuille qui offre un fini capable de prendre tous les vernis lacqués de fantaisie, la peinture et qui, à l'intérieur, soit anti-rouille. Un tel produit exige une application spéciale et on ne peut l'utiliser dans aucune autre industrie. Dans ce cas particulier, les fabricants de voiture sont venus vers nous, leur fournisseur, et nous ont demandé de résoudre leurs problèmes. Des exemples comme celui-ci exigent un grand effort de coordination de la part de la direction.»

US Steel a accepté le principe que les «petits» de l'industrie américaine n'ont pas toujours la possibilité de se faire entendre et que ce sont les grosses compagnies qui deviennent alors le porte-parole de l'industrie dans un système de libre entreprise. Naturellement, l'US Steel n'est pas la seule à jouer ce rôle important, car il est dans l'intérêt de l'économie américaine que cette responsabilité soit partagée par plusieurs grandes sociétés. Il n'est pas rare de voir les hauts cadres de la compagnie rencontrer les politiciens de Washington et discuter des problèmes relatifs aux réformes fiscales ou aux politiques de commerce avec l'étranger, par exemple, et de ce fait, influencer les décisions du gouvernement. Au sens large du mot, on pourrait dire qu'il s'agit de *vente,* mais sur une plus grande échelle, l'implication de la US Steel va au-delà de ses propres intérêts et de ceux de l'industrie de l'acier au pays. Toutes les entreprises des États-Unis sont en jeu.

Pour le moment, on parle beaucoup de l'acier japonais importé par les États-Unis, en même temps que d'autres produits. Mike a l'air préoccupé lorsqu'il dit: «C'est là un grand danger possible, non seulement pour l'industrie de l'acier, mais pour toutes les industries en général. Si notre gouvernement n'empêche pas cette compétition, tout notre système de libre entreprise est en danger. Et il s'agit là d'une compétition primée. Le gouvernement japonais subventionne ses aciéries. Elles peuvent donc offrir de meilleurs prix que nous, car elles vendent leur surplus d'acier, surplus qui ne peut être consommé au Japon, à des prix inférieurs aux prix coûtants!

«Nos clients sont tentés d'aller acheter leur acier à meilleur prix, surtout nos petits clients qui ne s'en tirent qu'en achetant à moins cher, continue Mike. Mais cela fait partie de la vente de les convaincre qu'à long terme, c'est une erreur, car si les aciéries américaines ne peuvent ramasser le capital nécessaire à leur expansion, éventuellement, ce sont toutes les industries du pays qui en souffriront. Il y aura d'abord un taux élevé de chômage, qui touche tout le monde. Si les employés de l'acier ne travaillent pas, ils ne pourront plus acheter de voitures, d'appareils ménagers et cela nuira à toutes les entreprises. Bien sûr, le mieux, c'est que notre pays soit capable de produire tout l'acier dont il a besoin; on ne peut pas dépendre des étrangers pour nos produits de base. Nous ne pouvons nous placer dans une situation dans laquelle nous manquerons d'acier parce que les pays étrangers ne veulent pas nous en vendre ou nous le vendent à des prix exhorbitants - comme nous le faisons pour le pétrole - tout simplement parce que nous dépendons des importations pour répondre à nos besoins.

«Par conséquent, nous devons vendre à nos clients en leur disant qu'ils sont en affaires et qu'ils le sont pour longtemps et que c'est dans leur intérêt d'acheter de l'acier américain, car si nous ne sommes plus là pour le leur vendre à l'avenir, ils ne pourront peut-être plus l'obtenir à prix raisonnables. Nous en revenons donc à la question de relation à long terme que nous développons avec le client. Nous mettons à sa disposition nos services de recherche, d'étude et de mise en marché, de même que notre capacité en tant que fournisseur, même en période de pointe, lorsqu'il a besoin de plus d'acier. Nous lui vendons donc la qualité, le service et la livraison. Et il achète l'assurance que sa compagnie aura une source constante d'approvisionnement, selon ses besoins, car si son matériau de base est l'acier, il vaut mieux qu'il s'assure qu'il puisse en obtenir en tout temps!

«En résumé, conclut Mike, je pense que le mot clé est *confiance*. Je pense que nous vendons la confiance que le client doit avoir en son vendeur et en notre compagnie. Le client aime négocier avec l'US Steel, car nous fabriquons un produit de qualité et parce que nous serons toujours là pour le servir, bon an, mal an. Il sait que nous avons le savoir-faire, le service de recherche requis pour faire face à tous les besoins et exigences, mais il sait surtout qu'il peut compter sur nous.»

10

William J. Bresnan

Teleprompter

«Trouver le besoin et y répondre...»

William J. Bresnan est président de la division du télécâble chez Teleprompter Corporation, la plus grande compagnie de télécâble aux États-Unis. Depuis 1974, Bill a été vice-président senior de Teleprompter Corporation, compagnie-mère. De juillet 1972 à mai 1974, il a été président intérimaire de Teleprompter Corporation. De plus, il est membre du conseil de direction et du comité exécutif de Teleprompter Corporation.

Bill est entré dans l'industrie du télécâble en 1958, lorsqu'il a conçu et mis au point ce système à Rochester, dans le Minnesota. Il a par la suite supervisé toutes les activités techniques d'un groupe de propriétés de télécâble appartenant au système de Rochester. Avant d'entrer dans le domaine du télécâble, il était vendeur pour une compagnie de radios et d'appareils électroniques.

En 1965, Bill a été nommé vice-président (ingénierie) et l'année suivante, il était nommé vice-président de la société Jack Kent Cooke. Lorsque le système Cooke s'est fusionné avec H & B American Corporation, pour former la plus grosse compagnie de télécâble du pays, Bill est devenu vice-président de H & B American Corporation. H & B est devenue Teleprompter Corporation en 1970 et il a été nommé vice-président de la division télécâble pour l'Ouest du pays. En 1972, il est devenu vice-président, adjoint au directeur.

En 1972-73, il a été président de la National Cable Television Association. Il en a également dirigé le comité des relations publiques pendant deux ans et il a été membre du comité exécutif de cette association en 1971, 1972, 1973, 1975, 1976 et 1977. Bill a été nommé l'Homme de l'Année par *Cable News* à cause des services qu'il a rendus à l'industrie du câble en 1975. Bill est membre de l'Institute of Electrical and Electronics Engineers, de l'Audio Engineering Society, de la Society of Motion Picture and Television Engineers, de l'American Association for the Advancement of Science, de la Hollywood Radio and Television Society et de la Society of Cable Television Engineers. Il est membre de la Young President's Organization, Inc.

Bill est né à Mankato, au Minnesota le 5 décembre 1933. Il a suivi les cours de la Mankato Technical School, du Mankato Commercial College et du Winona State College.

Bill et sa femme, Barbara, et leurs six enfants - Michael, Robert, Daniel, Colleen, Mary et Maureen - vivent à Scarsdale, New York. Bill s'intéresse à l'histoire de la radio et il collectionne les radios antiques.

«Nous sommes dans une industrie de service, explique Bill Bresnan. Nous ne signons pas de contrats à long terme avec nos clients. Nous leur offrons un service au mois et ils peuvent faire débrancher le câble n'importe quand et recevoir un remboursement équivalent. En fait, nos ventes se font sur une base journalière et il nous faut veiller à ce que le client soit satisfait si nous voulons qu'il continue à traiter avec nous.»

Le télécâble n'est pas un service aussi automatique que certains pourraient le penser. Le client ne se contente pas de signer un formulaire et d'envoyer ensuite un chèque par mois, jusqu'à la fin de ses jours, comme c'est le cas pour d'autres services. S'il pense que cela n'en vaut pas la peine, il peut annuler son contrat. Bien qu'il s'agisse d'une industrie très technique, le télécâble est soumis aux mêmes lois que les autres produits américains - *la vente efficace est obligatoire!*

Bill s'est complètement dévoué à l'industrie du câble. Il ne fait aucun doute que son enthousiasme et son amour du travail l'ont amené en haut de l'échelle de l'une des industries les plus florissantes et les plus excitantes du pays. En tant qu'ancien président de la Cable Television Association et Homme de l'Année de l'industrie, il déclare avec le véritable esprit d'un pionnier: «Nous vivons une époque passionnante... Nous sommes en train de bâtir une industrie com-

WILLIAM. J. BRESNAN

plète. Et il est important que nous vendions notre industrie au public et à ceux qui font nos lois. Le câble de télévision n'en est qu'à ses balbutiements, alors nous posons ses fondations pour l'avenir. Et, bien sûr, nous travaillons dans un domaine sans cesse en mouvement.»

La passion de Bill pour l'électronique depuis son enfance dans le sud du Minnesota est vraiment le début de sa carrière excitante. «Lorsque j'avais douze ans, j'ai commencé à réparer les radios des voisins pour me faire un peu d'argent de poche, se souvient-il. Par la suite, pendant que j'étais au secondaire, j'ai travaillé dans un magasin de radios et télévisions.» Bill a ensuite suivi pendant deux ans les cours de la Mankato Technical School et il n'a pas tardé à commencer à travailler à plein temps comme vendeur pour une compagnie d'appareils électroniques. Son premier vrai contact avec le câble remonte à 1955 lorsque sa ville natale, Mankato, décida de construire un système.

«Je vendais des fournitures aux stations de radio et télévision, dit Bill en souriant, et j'ai entendu dire qu'il allait y avoir un système de câble dans la ville. J'ai immédiatement contacté l'entrepreneur qui devait l'installer. C'était une chose étonnante si l'on pense qu'à cette époque-là, personne ne savait ce qu'était le télécâble. Moi, je voulais être celui qui leur vendrait leur câble coaxial. Je pensais à tout l'argent que je pourrais gagner en vendant ces kilomètres de câble requis pour installer le système. Le propriétaire local finit par me dire: *Parfait, nous serons heureux de traiter avec vous, mais nous ne sommes intéressés qu'à ce câble bien spécial. Si vous trouvez le moyen de nous le vendre, très bien, nous vous l'achèterons!*

«Eh bien, j'ai trouvé le représentant du fabricant, qui se trouvait quelque part dans le Dakota du Sud et je lui ai expliqué que j'avais la chance de vendre quelque 200 kilomètres de câble. Il m'a immédiatement nommé distributeur! Bien sûr, je vendais pour une compagnie qui portait le nom de Northwest Radio and Electronics, c'est donc elle qui est devenue distributrice.

«Afin de ne pas perdre mes ventes, poursuit Bill, il me fallait passer deux jours par semaine avec l'ingénieur qui devait concevoir et installer le système. Dès que nous en avions fini avec un quartier de la ville, je rédigeais la facture et passais la commande pour le matériel requis. Pour garder mes commissions, je l'aidais de mon mieux. Nous en étions à la moitié du projet environ lorsqu'il a eu des ennuis avec sa femme; il a dû quitter la ville et je me suis retrouvé avec la responsabilité de terminer le travail!

«Voilà. Je me suis retrouvé dans cette petite ville du sud du Minnesota et en travaillant sur ce système, je suis, du jour au lendemain, devenu l'expert du Minnesota, dit Bill en riant. En fait, je ne savais pas grand-chose du télécâble. J'en savais seulement un peu plus que tous les autres à ce moment-là. Peu de temps après, un homme qui avait déjà la franchise pour Mankato a obtenu la franchise pour Rochester et il m'a contacté pour que j'installe son système. Le nom de la compagnie était Rochester Video, Inc. - elle a par la suite été vendue à un autre groupe d'investisseurs du Minnesota - et c'est moi qui dirigeait les activités techniques. Jack Kent Cooke a acheté notre compagnie au printemps de 1965 et en juin, il me mutait dans ses bureaux de Beverly Hills, où je suis devenu directeur technique. Moins de deux semaines après, il me nommait vice-président technique et c'est en mars 1966 que je suis devenu le vice-président de la compagnie.»

Ce n'est qu'en septembre 1970 que Bill est entré chez Teleprompter (par l'intermédiaire de plusieurs fusions de compagnies, toutes dirigées par Jack Cooke) mais c'est son association avec Cooke, en 1965, qui marque le début de sa carrière dans la compagnie où il travaille actuellement.

«On peut dire que le point marquant de ma carrière, c'est le jour où j'ai commencé à travailler pour monsieur Cooke, se souvient Bill avec fierté. Jack est le meilleur vendeur au monde. Il est aussi le meilleur homme d'affaires que je connaisse. L'année que j'ai passée avec lui m'en a énormément appris. J'ai eu de la chance. Cela fait maintenant douze ans que je travaille avec lui.»

On estime qu'il existe aujourd'hui aux États-Unis 3 700 systèmes de câble qui desservent quelque 13 millions d'abonnés. Teleprompter dispose de 110 systèmes et compte parmi ses abonnés dix pour cent du total des abonnés aux États-Unis. C'est la compagnie de câble la plus importante au pays; elle est deux fois plus grosse que celle qui vient immédiatement après.

La plus grande partie de la réussite de Teleprompter est due à sa philosophie de la vente. *«Nous découvrons le besoin, et ensuite nous y répondons,* déclare Bill. À mon avis, si vous êtes capable de faire cela, la vente est facile. Tout a commencé lorsque nous avons décidé d'installer un système de câble. Il faut d'abord déterminer quels sont les services que les téléspectateurs reçoivent dans une certaine communauté. Il faut ensuite trouver ce qu'on peut leur apporter et qu'ils ne peuvent obtenir sans nous. Cette différence, c'est ce que j'appelle la *marge de service.* Plus la marge est grande, plus il nous est facile de vendre nos services. Si cette marge est très étroite, en d'autres mots, si les téléspectateurs n'obtiennent pas grand-chose de plus avec le câble, nous allons avoir du mal à vendre!

«Revenons en arrière et voyons comment a commencé le câble. Il y avait des tas de petites villes dans le pays où les habitants ne pouvaient pas recevoir les émissions de télévision sans le câble. Toute l'industrie a débuté à partir de ce besoin. Les gens qui vivaient dans ces petites villes dépendaient du câble. Par exemple, dans ma ville natale, Mankato, qui se trouve à environ cent dix kilomètres de la région de Minneapolis-St. Paul, nous ne pouvions recevoir aucune émission avant d'installer des antennes de trente ou quarante pieds de haut. Et malgré ces grandes antennes, la réception restait très mauvaise. Or le câble permettait une excellente réception; c'est ce que j'appelle répondre aux besoins d'une communauté.

«Aujourd'hui, une ville comme Mankato obtient une meilleure réception qu'avant, mais elle laisse encore à désirer; nous avons donc encore une grande marge de service dans une ville comme celle-là. Mais il nous faut planifier notre système à partir du commencement et déterminer ce que nous pouvons offrir que les gens n'ont pas déjà. Cela signifie qu'il nous faut connaître les chaînes qu'ils reçoivent, les réseaux existants et les chaînes indépendantes qui se trouvent dans le secteur. Nous devons connaître avec exactitude les services reçus et la qualité de la réception. Une fois de plus, que pouvons-nous leur offrir qu'ils n'ont pas déjà? Lorsque nous savons cela, c'est facile! C'est une simple question de bien travailler dès le début.

«Je ne pense pas que la vente que nous avons à faire soit aussi difficile que la vente en général; c'est plus facile que de vendre des céréales, par exemple, dit Bill. Tout le monde déjeune, mais je n'aimerais pas vendre des céréales s'il en existait quatre ou cinq marques différentes qui vendent les mêmes sortes de céréales. Là, la vente est difficile car il faut convaincre les gens d'acheter les miennes plutôt que les autres qui sont exactement pareilles. Lorsque nous vendons le câble à une ville, nous lui offrons quelque chose d'essentiellement différent en termes de service, de capacité du système, du nombre de chaînes et de certains droits quant aux programmes que nous préparons.

«Aujourd'hui, notre réputation est faite et c'est important lorsqu'il s'agit de vendre notre compagnie au public. Lorsque nous entrons en négociations avec une ville, c'est avec des politiciens élus qui ont eux aussi des besoins auxquels nous devons répondre. Par-dessus tout, ces personnes doivent faire bonne image auprès du public. Ils ne peuvent se permettre d'accorder une franchise à une entreprise de passage qui ne sera pas à la hauteur de ce qu'ils ont promis. Voyez-vous, il s'agit de leur réputation; ils doivent offrir à leur ville ce qu'il y a de mieux. Nous devons les convaincre que Teleprompter a toujours donné satisfaction. Nous avons la compétence technique, la compétence de mise en marché, la capacité financière et nous faisons un travail professionnel afin que les abonnés reçoivent un bon service. Les autorités municipales ne veulent pas que les électeurs se plaignent. Lorsque les électeurs se mettent à hurler: *Où avez-vous pêché ce sale équipement que vous nous avez donné?*, c'est très ennuyeux pour un politicien.

«Comme je le disais, nous trouvons le besoin et ensuite, nous y répondons. Tout ceci entre dans la planification du système et lorsque nous avons réussi à convaincre le conseil municipal de nous acheter la franchise au lieu d'aller voir quelqu'un d'autre, il nous faut installer le système et vendre le service au public. Je pense que ce genre de vente est facile parce que tout a été bien planifié et que nous savons que nous offrons un produit qui répond à un besoin. Pour ce qui est de la vente d'un produit inutile, pour moi, c'est de la vente sous pression, et c'est là une profession totalement différente. Ce n'est pas de la vente. Il est important pour nous de croire à ce que nous offrons au public. Alors nous devons savoir que nous avons quelque chose que les gens ne peuvent pas obtenir ailleurs!»

Une fois la franchise acceptée et le système installé, Teleprompter doit vendre son service à la communauté. Il est important de pénétrer le marché et la plupart des compagnies de télécâble insistent beaucoup sur cet aspect des affaires, bien plus que sur la vente de nouvelles franchises. Comme l'explique Bill: «À la fin des années 60 et au début des années 70, l'industrie du câble était très florissante et les gens pensaient que cela allait changer toute la société. Chacun essayait de trouver des moyens lui permettant d'améliorer la qualité de vie des Américains. Tous se sont mis de la partie, y compris les ingénieurs, les philosophes, les hommes de bonne volonté et les agences gouvernementales. Même les éducateurs recherchaient quels étaient les merveilleux services que le câble pouvait fournir. Malheureusement, toutes les idées envisagées n'étaient pas pratiques à cause du manque d'ampleur de cette industrie. Souvent, les télécâbles étaient installés sur une grande échelle, et dans certains cas, notre marge de service n'était pas aussi grande qu'elle aurait dû l'être. Par conséquent, les clients ne s'abonnaient pas proportionnellement à nos investissements. Le problème s'est accentué lorsque le taux des primes s'est élevé à 12 pourcent, car nous faisions partie d'une entreprise à capital intensif. Heureusement, nous avons été capables de nous regrouper avec d'autres compagnies de câble.

«Bon, dit Bill avec un soupir de soulagement, tout ceci est du passé, maintenant. Nous avons resserrer nos ceintures et éliminer les excès. Nous avons dû ralentir dans les endroits où, selon nous, la marge de service n'était pas assez large. Teleprompter est maintenant en bonne santé. Toute l'industrie s'en est finalement bien tirée et nous recommençons à vendre des franchises. Mais nous n'installons pas de nouveaux systèmes à un rythme rapide comme par le passé. Nous nous concentrons plus sur les communautés où nous sommes déjà implantés.»

Étant donné que le câble est une industrie de service, Bill pense qu'il est important que chaque employé de la compagnie doive penser en termes de service. «Nous orientons tous nos employés vers le service au client, insiste Bill. Tous reçoivent sans cesse la directive d'offrir un bon service. Il y a des détails qui semblent insignifiants, comme retirer ses chaussures boueuses avant d'entrer chez le client, mais ils sont une partie importante de la vente. C'est une preuve que l'on se *soucie* du client et nos employés sont formés de cette façon-là; nous ne prenons pas pour acquis qu'ils le savent.

«Un autre exemple de première importance, c'est la façon dont nous demandons à nos standardistes de répondre au téléphone. Ils doivent savoir comment répondre aux clients qui appellent pour porter plainte ou qui veulent annuler leur contrat. Tous nos standardistes ont ce que nous appelons notre *bible*. C'est un livre divisé en sections et qui indique comment répondre au téléphone. Qu'il s'agisse d'un client mécontent ou d'une demande de renseignements pour une installation, notre bible a une section pour chaque situation.

«Peu importe le problème, il se trouve dans la bible, dit Bill en souriant. Il se peut que le client ne puisse plus se payer nos services, ou qu'il ne soit pas satisfait de la réception qu'il obtient. Dans n'importe quel cas, notre standardiste se réfère rapidement à la section adéquate et y trouve comment répondre au client. Il arrive souvent qu'une compagnie ne reçoive qu'un seul appel d'un client et si on ne lui a pas répondu correctement, la compagnie n'aura pas d'autre chance pour se racheter. Nous devons donc donner satisfaction à ce client et bien sûr, être toujours prêts à vendre à un client éventuel.»

Bill prend un air préoccupé et poursuit. «Il n'y a pas telle-ment longtemps, nous avions installé un système dans une région et nous avions des problèmes de relations publiques. Pour une raison quelconque, nous avions la réputation de nous moquer de nos clients. Bien entendu, c'était faux, mais au cours des années, nous avions apparemment adopté l'attitude d'une compagnie de service public. Vous savez, le genre: *Nous sommes les seuls à installer le câble dans le coin.* C'est là une image très dangereuse. Afin de remédier à la situation, nous avons demandé à notre directeur d'enlever la porte de son bureau de sur ses gonds. C'est ça, *enlever la porte de son bureau!* Nous avons convoqué la presse et nous avons fait prendre une photo de notre directeur en train de détacher la porte de son bureau; cette photo devait porter la légende suivante: *La porte du directeur de Teleprompter est toujours ouverte au public.* Nous avons aussi publié le numéro de téléphone où il pouvait être rejoint le soir et nos abonnés pouvaient l'appeler s'ils avaient un problème. Notre directeur en a été enchanté. C'est d'ailleurs lui qui a eu les meilleures idées. Bien sûr, nous devions avoir ce genre d'enthousiasme de sa part pour que notre campagne soit ef-ficace. Lui et tous les autres se sont mis à répondre au téléphone: *Bonjour, ici Teleprompter, la compagnie qui s'occupe de vous.* C'est par des détails comme celui-ci que nous avons reconquis notre image positive. Nous avons été surpris de constater combien peu de plaintes nous avons reçues, mais le public a été impressionné par le fait que notre directeur était disponible, même la nuit.

«Lorsque je suis entré chez Teleprompter, poursuit Bill, je me suis rendu compte que la plupart des directeurs avaient des numéros confidentiels, pour la bonne raison qu'ils ne voulaient pas être ennuyés par des plaintes chez eux. J'ai émis une directive qui stipulait que s'ils voulaient travailler pour nous, ils se devaient d'être disponibles. Leurs numéros se trouvent maintenant dans l'annuaire, *de même que le mien!* Les gens doivent savoir que nous sommes accessibles. Nous ne pouvons pas placer nos directeurs dans une chambre d'isolation. Je pense que cette disponibilité est vraiment importante pour notre entreprise.»

En 1974, Teleprompter a introduit un nouveau service de *câble payant* dans trois banlieues de New York et à Los Angeles. L'accueil fut favorable et en 1975, la compagnie signait un accord avec le Home Box Office (HBO), filiale de Time Inc., qui peut offrir un programme de câble payant à tous les systèmes Teleprompter qui en font la demande. Le service de câble payant HBO offre de nombreux avantages comme des films sans interruption passés en avant-première, des événements sportifs et autres programmes spéciaux qui n'étaient pas encore disponibles. Les coûts vont de sept à dix dollars par mois, et HBO paie un coût similaire.

Depuis l'introduction de HBO, Teleprompter s'est concentré à la vente des deux services. Récemment, ces nouvelles ventes se sont élevées à 40 ou 50 pour cent, mais au début, environ 15 pour cent des clients seulement achetaient les deux services. Les autorités de la compagnie pensaient qu'un pourcentage plus élevé de clients devaient se procurer le service HBO, et ils firent un effort pour en augmenter la vente. «L'un de nos directeurs fit une expérience, se souvient Bill, et il l'a faite de son propre chef, ce qui est typique de l'esprit qui règne chez nous. Notre directeur régional devait se réunir avec ses employés pour leur dire qu'il voulait vendre les services HBO à 50 pour cent des clients qui nous rejoignaient par téléphone. Il leur dit que la première personne qui y réussirait recevrait un certificat-cadeau de vingt-cinq dollars d'une boutique locale. Le directeur s'assura ensuite que tout le monde connaissait bien le guide du programme et après le leur avoir bien expliqué, tous se montrèrent enthousiastes. Ce fut bientôt le sujet de conversation préféré de tous. À la fin du premier mois, ils n'atteignaient pas encore les 50 pour cent, mais ils n'étaient pas loin de 30 pour cent. Les vendeurs étaient tellement déçus qu'ils demandèrent un autre concours de trente jour.

«Le mois suivant, la moyenne était de 52 pour cent, dit Bill rayonnant. Je veux que vous sachiez que nous avons maintenant atteint 60 pour cent. Tout ça à cause de l'enthousiasme communiqué par le directeur. Et chez nous, qu'il s'agisse d'un technicien, d'une secrétaire ou d'une dactylo, tout le monde doit savoir ce qu'est le système HBO. Ils doivent connaître tous les programmes. C'est ce genre d'implication et d'enthousiasme qui engendre nos ventes.

«Je n'insisterai jamais assez sur l'importance que tous nos gens connaissent tous nos programmes. Chacun de nos systèmes a des vendeurs qui font du porte à porte et qui doivent connaître à fond tous nos programmes. Comme dans n'importe quel genre de vente, il faut que le vendeur écoute attentivement et, lorsqu'il se sent à l'aise avec le client et s'il est le moindrement sensible, il aura une bonne idée des besoins du client. Si le client s'intéresse aux sports, par exemple, le vendeur doit lui faire savoir qu'il pourra recevoir des émissions sur le basketball, le football ou sur ce qui intéresse le client. S'il s'intéresse aux films, il devra lui parler de nos avant-premières et, bien sûr, s'il essaie de vendre le système HBO, il devra insister sur le fait que les films ne sont pas interrompus par des annonces publicitaires.

«HBO a ouvert de nouveaux marchés pour notre service de câble. Nous savions par exemple que des quartiers sont mieux que d'autres. Nos ventes suivaient une certaine courbe: nous ne vendions pas dans les quartiers à faibles revenus ni dans les quartiers riches; notre meilleur marché demeurait les classes moyennes. Maintenant que nous offrons le HBO, les gens plus aisés achètent. Ces gens pensent en termes de loisirs et ce qui les intéresse, ce sont nos avant-premières. Nous avons fait une analyse pour déterminer comment nous pouvions améliorer le marché HBO. Nous avons fait la corrélation entre les styles de vie, les revenus, les niveaux d'instruction, les professions et autres facteurs similaires. Puis, quand nous avons pu déterminer où nous pouvions vendre le HBO, nous nous sommes attaqués à ce qui était pour nous, auparavant, un marché faible.»

L'une des principales activités de Bill est son travail auprès des directeurs de système de Teleprompter qui se trouvent un peu partout dans le pays. Je crois que nos directeurs de système doivent se consacrer entièrement à la vente, insiste Bill. En fait, au cours des dernières années, je me suis concentré sur les directeurs qui ne s'y impliquaient pas assez et, le cas échéant, je les ai même remplacés. Nous faisons un effort constant pour augmenter la vigilance de nos directeurs en ce qui concerne la vente.

«Il y en a certains qui se considèrent comme des administrateurs. Vous savez, un genre de chien de garde qui surveille les dépenses. Bien sûr, c'est important, mais il est bien plus important d'apporter des revenus. Nous avons une méthode de routine pour contrôler nos coûts, de même que nos installations et nos plaintes. Tout est mécanisé. Si un problème se présente à ces niveaux-là, nous n'avons généralement pas de difficulté à le résoudre. Le domaine où mes directeurs doivent être forts, c'est dans l'obtention des ventes. C'est là que se trouve l'argent. Nous voulons donc que nos directeurs de système soient des directeurs des ventes. Nous souhaitons qu'ils sortent de leurs bureaux, qu'ils voient les clients et qu'ils vendent afin de bien comprendre ce qui se passe sur leur territoire.

«Nous n'acceptons pas que nos directeurs se bornent à aller voir un client de temps en temps. Ils doivent le faire de façon régulière. Chacun, moi y compris, doit sortir de son bureau pour aller frapper aux portes. *J'en apprends bien plus en faisant du porte à porte pendant quatre heures qu'en restant assis ici pendant trois ans!*

«Je surprends nos directeurs en leur rendant visite à l'improviste, puis je leur dis que je veux aller voir les clients avec un vendeur. Je pense qu'ils le savent tous maintenant, car ils semblent le savoir à l'avance, avant même que j'arrive, dit Bill en souriant. J'assiste à une réunion, le soir, je choisis un vendeur (ou une vendeuse) et je lui dis que je veux aller voir les clients avec lui (elle). Je lui dis de me présenter comme un nouveau, ou comme quelqu'un qui travaille pour la compagnie, mais jamais comme le président ou son patron. Je veux savoir ce que les clients pensent de Teleprompter. Je me préoccupe sans cesse de notre image, des opinions des gens et du service que nous leur fournissons. Je me rends compte aussi du travail que nous avons fait pour éduquer le public sur le câble.

«En général, je ne dis rien et j'écoute beaucoup. J'aime bien aller voir des clients qui ont déjà eu à se plaindre de nous. Vous ne pouvez pas savoir ce que l'on peut apprendre en allant voir les gens et en leur parlant chez eux, que ce soit des clients actuels, des anciens clients ou des clients potentiels. Les directeurs régionaux qui sont sous mes ordres doivent aller voir leurs clients; quant à celui qui se croit trop bon

WILLIAM J. BRESNAN

pour faire du porte à porte, eh bien, nous n'avons pas besoin de lui!

«Il n'y a pas tellement longtemps, j'étais à Reno et j'ai dit à notre directeur, là-bas, que je voulais aller voir des clients le soir même. C'était un vendredi après-midi, et il m'a répondu: *Bill, vous vivez à New York et la fin de semaine arrive. Vous voulez dire que vous restez ici ce soir pour faire de la vente?* Il n'était pas seulement étonné mais aussi ravi que j'aie envie d'aller avec lui faire du porte à porte. Lorsque nous sommes revenus au bureau pour une réunion vers vingt-deux heures trente, tous ses vendeurs étaient là pour remettre leurs commandes et prendre un café. Sa joie de voir que je montrais mon intérêt en allant sur les lieux même avec lui se répandit parmi les vendeurs. Ils n'en revenaient pas que j'accepte de prendre du temps pour aller voir des clients au lieu de prendre un avion pour rentrer à New York.»

Il n'est pas étonnant de voir que les directeurs de système de Teleprompter acceptent d'aller voir les clients qui se trouvent sur leur territoire. Si Bill Bresnan, président de la plus grosse compagnie de télécâble aux États-Unis le fait, ils peuvent le faire aussi!

L'industrie du câble est en pleine croissance et au cours de la prochaine décade, elle offrira de nombreux services en plus de ceux qui existent déjà. «Nous n'offrions qu'une antenne de réception lorsque nous avons commencé, explique Bill. Nous en sommes maintenant à la télé payante avec films et événements sportifs. Nous espérons pouvoir bientôt offrir une chaîne payante de programmes pour les enfants avec des programmes spéciaux pour les jeunes qui soient de bonne qualité et exempts de violence et de sexe. Les enfants ne seront pas exploités par la publicité qui, incidemment, est de plus en plus rejeter par les parents.

Et un jour, nous aurons une chaîne réservée à l'art, rêve Bill. Nous amènerons nos clients tous les soirs vers un centre culturel différent, comme New York, Boston ou Philadelphie, pour une symphonie ou un opéra. En d'autres mots, nous nous imaginons un peu comme une librairie. Une personne peut entrer et acheter un livre, mais une autre peut en acheter deux ou trois. *Une fois de plus, nous répondons à un besoin.*»

Un message de l'auteur

Alors que le bruit commençait à se répandre que j'interviewais les dix plus grands vendeurs des États-Unis, il se produisit une chose tout à fait inattendue. Les gens voulaient savoir *à quoi ressemblait ces super-vendeurs*. Je m'attendais à éveiller un grand intérêt dans les milieux de la vente, mais j'ai été étonné de la fascination que tous partageaient, et non pas seulement les vendeurs.

Après avoir analysé avec soin cette préoccupation générale incroyable, j'en ai conclu trois choses: la première, que chacun vend dans une certaine mesure. La deuxième, c'est que chacun traite avec des vendeurs. Et la troisième, c'est qu'il y a encore un certain mystère autour des super-vendeurs.

Le fait que chaque individu vende ou traite avec des vendeurs n'est pas nouveau; on s'en aperçoit car chacun s'identifie plus ou moins à la vente. C'est le facteur mystère, je crois, qui a éveillé ce grand intérêt. Je peux comparer cela au magnétisme et au pouvoir attirant qu'exercent certains de nos héros, comme les joueurs de football ou, avant eux, les durs du Far West. De telles comparaisons peuvent sembler absurdes mais allons plus loin dans cette analogie. Les Américains ont le culte du héros et ceux que nous plaçons sur un piédestal accomplissent toujours des exploits extraordinaires.

Pourquoi? Parce qu'ils sont les *meilleurs*. Pensons à la différence de salaire que peut exiger le meilleur joueur de baseball comparé à celui qui vient juste derrière lui. Pourtant la différence est d'un frapper sur dix fois au bâton. De la même façon, le meilleur coureur du monde peut parcourir une certaine distance en quelques dixièmes de seconde de moins que les autres coureurs.

Cependant, parmi les vendeurs, les différences sont plus marquées. Au sein d'une même compagnie, les vendeurs ont tous plus ou moins la même expérience, ils reçoivent des territoires similaires et vendent le même produit. Bien que tous ces facteurs soient égaux au départ, nous savons tous que 20 pour cent des vendeurs se partagent 80 pour cent des ventes. Ces chiffres disproportionnés nous montrent immédiatement *qu'un vendeur faisant partie de ces premiers 20 pour cent vend à un rythme seize fois supérieur à celui d'un vendeur faisant partie des derniers 80 pour cent.*

Le meilleur exemple en est probablement Joe Gandolfo, qui a réussi à vendre pour un milliard de dollars d'assurance-vie en l'espace d'un an. Alors que dans le milieu, on considère généralement que celui qui en vend pour un million de dollars a fait une bonne année, il faudrait réunir mille de ces bons vendeurs pour atteindre le résultat obtenu par Joe. De la même manière, Joe Girard a vendu 1 425 voitures et camions en une seule année. Il existe de nombreux concessionnaires américains qui sont loin d'obtenir un tel résultat! Martin Shafiroff, lui, reçoit environ $1,5 million de commissions par an en tant que courtier. Là encore, c'est extraordinaire. Et tous les autres vendeurs présentés dans ce livre réalisent quelque chose du même genre; mais il est plus facile de faire des comparaisons dans les domaines de l'automobile, de l'assurance et des valeurs. On ne peut que s'étonner de tels accomplissements, et avec raison!

Pour finir ce livre, je vais faire remarquer les dénominateurs communs de ces dix grands vendeurs. Premièrement, je les admire tous. Ils sont charmants, ont de la personnalité et sont d'agréable compagnie. Bien qu'ils réussissent très bien, ils ne sont pas prétentieux. Rien n'indique que leur succès les ait rendus vains et égoïstes, comme cela se produit parfois chez les vedettes.

Mais leur qualité la plus évidente est peut-être leur *amour de la vente*. Je doute réellement qu'ils auraient réussi de la même façon avec une attitude différente. Leur enthousiasme est contagieux et je suis certain que leurs clients le ressentent. Shelby Carter, vice-président du marketing chez Xerox, n'a plus besoin d'aller voir des clients, mais il déclare: «J'aime visiter les clients. Je garde le contact... en allant dans les tranchées avec mes troupes. Je contacte des clients partout au pays et je continuerai à le faire tant que je travaillerai dans le marketing.»

Bill Bresnan, président de Teleprompter, va, lui aussi, voir des clients avec ses vendeurs. Bill aime tellement son travail qu'on ressent son enthousiasme lorsqu'il dit en souriant: «Je ne peux imaginer nul autre domaine où je serais mieux que dans celui du câble.»

Mêlée harmonieusement à cet enthousiasme est leur *forte conviction* de la supériorité du produit qu'ils offrent à leurs clients. Joe Gandolfo pense qu'il faut y croire à cent pour cent. Avant de posséder lui-même une police d'assurance-vie d'un million, il avait du mal à en vendre, car il ne pouvait pas voir comment ses clients pouvaient se le permettre. La même philosophie s'applique à mesure que Joe vend plus d'assurance à ses clients.

Edna Larsen remarque pertinemment: «Je crois en mes produits à cent pour cent et ma sincérité se communique chez mes filles; alors elles aussi croient en Avon.» Il suffit de lui parler quelques minutes pour être convaincu de la puissance de sa sincérité.

Et Martin Shafiroff déclare que si l'un de ses clients n'arrive pas à croire en ses concepts d'investissement, il l'envoie ailleurs. Sinon, il finirait par ne plus être convaincu lui-même. Il maintient que sans cette conviction, il ne serait qu'un vendeur bien médiocre.

Bernice Hansen croit tellement aux produits Amway que c'est à cela qu'elle attribue la confiance en elle dont elle fait preuve. «Vous savez, dit-elle, les gens ressentent cette confiance et il faut l'avoir si l'on veut vendre efficacement.» Elle ajoute qu'elle utilise encore les suppléments alimentaires qu'elle vendait au début des années 50 alors qu'Amway n'était encore qu'un rêve.

En plus d'être convaincu de la supériorité du produit, chacun de ces vendeurs déclare qu'il faut bien *connaître le produit* vendu. Rich Port a réussi à bâtir la plus importante des agences immobilières du pays parce qu'il était déterminé à être un professionnel et qu'à cette fin, il a emmagasiné toute la connaissance possible sur l'immobilier. Cette attitude se reflète chez tout le personnel hautement professionnel de Rich Port, Realtor.

Mike Curto nous dit comment les vendeurs passent par tous les services de l'entreprise US Steel afin de bien connaître toutes les facettes de l'industrie de l'acier. Leurs vendeurs doivent tout savoir afin d'être capables de prendre des décisions sensées.

C'est peut-être Buck Rodgers qui nous le dit le mieux en nous révélant qu'IBM a des centres de formation un peu partout dans le pays et dans cinquante pays étrangers. Il déclare en souriant qu'IBM est, de par son étendue, la plus grande université de la terre.

Étant donné qu'ils sont tous très sollicités, ils considèrent que le temps est ce qu'ils ont de plus précieux. Il ne fait aucun doute que les personnes qui réussissent savent faire bon usage de leur temps. Edna Larsen pense qu'elle doit son succès au fait qu'elle voit plus de clientes que n'importe quel vendeur moyen. Alors que les vendeurs consacrent en général 25 pour cent de leur temps aux rencontres avec les clients, elle en consacre 90 pour cent.

Martin Shafiroff garde une formule sur son bureau qui lui donne les directives sur où aller et quoi faire. Il explique que le courtier moyen passe trente minutes par jour avec ses clients. «Si je peux en passer quatre à cinq heures par jour, la différence au niveau des résultats est énorme.» Martin sait utiliser son temps si efficacement qu'il arrive à faire 60 appels par jour!

Et Joe Girard parle de son emploi ainsi: «Je tire le meilleur parti possible de mes 1 440.» Je dois avouer qu'il m'a fallu quelque temps pour comprendre qu'il y avait 1 440 minutes dans une journée!

Rich Port croit à la bonne utilisation du temps et conseille à ses courtiers de venir travailler tous les matins par des chemins différents afin de voir ce qui se passe dans la région. Il a rédigé, pour son personnel, un pamphlet qui s'intitule les *24 choses à faire lorsque vous pensez qu'il n'y a rien à faire.*

Écouter le client est ce qu'il y a de plus important pour un vendeur; mais ces dix grands vendeurs *écoutent vraiment.* Joe Gandolfo pense que la session d'acclimatation qu'il a avec ses

clients reflète sa philosophie, à savoir que la vente, c'est 98%
de compréhension de l'être humain et 2% de connaissance du
produit. Joe déclare: «La meilleure façon de comprendre les
gens, c'est de poser des tas de questions et de bien écouter les
réponses.» Même les murs de son bureau nous parlent de sa
philosophie. Une plaque nous dit: «Dieu vous a donné deux
oreilles et une bouche. C'est qu'il veut que vous écoutiez deux
fois plus que vous ne parlez.»

À l'occasion, Bill Bresnan fait du porte à porte avec un de
ses vendeurs de télécâble Teleprompter parce que: «J'en apprends plus en frappant aux portes pendant quatre heures
qu'en restant assis dans mon bureau pendant trois ans.» Il
prétend qu'il s'assoit et qu'il observe. «Je veux savoir ce que
le client pense de Teleprompter... Je me tiens tranquille et
j'écoute.»

Chacune des dix personnes interviewées a déclaré que le
service au client était extrêmement important. Mike Curto
pense que le service est essentiel dans la vente de l'acier. Il
déclare que, vu de l'extérieur, il n'y a pas une grande
différence entre son acier et celui de ses compétiteurs; alors ils
doivent vendre du bon service.

C'est également l'avis de Joe Girard. Il déclare: «La vente
commence après la vente, et pas avant. Lorsque le client revient pour une réparation, je me bats pour lui obtenir ce qu'il
y a de mieux.»

Et Buck Rodgers déclare: «IBM est devenu synonyme de
service. IBM traite avec ses clients de façon continue... et à
moins de continuer à leur offrir un excellent service, de toujours veiller à leurs intérêts, nous risquons de les perdre. Il
sourit avec confiance en disant: IBM peut résoudre n'importe
quel problème dans n'importe quelle partie du monde.»

Outre le service, j'ai eu plusieurs commentaires sur la relation qu'il faut établir avec le client. Rich Port pense que «L'agent qui sait établir une bonne relation avec son client, le vendeur, découvrira qu'il s'agit de la relation la plus agréable qui existe dans le monde des affaires. C'est comme une association.»

Buck Rodgers donne un message semblable pour la vente des ordinateurs: «Chez IBM, le vendeur doit établir une association avec son client pour que ce dernier comprenne que ce n'est pas seulement un appel au hasard. Au bout d'un certain temps, le vendeur peut alors comprendre son client et ainsi lui offrir quelque chose qui sera valable pendant plusieurs années.»

US Steel établit le même genre de relation avec ses clients. «US Steel compte plus de mille employés dans ses services de recherche, nous dit Mike Curto. Et ces personnes sont amenées chez le client pour résoudre ses problèmes. C'est un travail d'équipe. US Steel travaille avec ses clients pour résoudre leurs problèmes de fabrication.»

Et ces dix grands vendeurs ne voient pas que les grands côtés de la vente; ils s'occupent également des détails. Un bon exemple en est Joe Girard qui envoie une lettre par mois à ses clients pour leur signifier son appréciation. Il ne prend jamais d'appels lorsqu'il se trouve avec un client. Il a des ballons et des bonbons pour les enfants. Il a une réserve d'alcool pour le client qui a *besoin d'un verre*. Il a même toutes les marques de cigarettes! Il remet toujours des cartes d'affaires à ses clients. Oui, Joe croit en ces *petites choses* que tout vendeur d'automobiles doit savoir. *La différence, c'est que Joe les fait!*

Rich Port ne rate jamais un détail de vente, aussi petit soit-il. Il explique qu'il ne stationne jamais dans l'entrée de la maison qu'il fait visiter à un acheteur éventuel, mais toujours un peu plus loin pour présenter la maison sous son meilleur angle. Le premier coup d'oeil est important. Et Rich est probablement le seul vendeur que je connaisse qui prend note du nom du chien de son client! Et il le dit: «J'aime bien quand les gens sont gentils envers mon chien et l'appelle par son nom.» Alors, Rich s'imagine que les gens aiment quelqu'un qui traite leur chien convenablement.

Martin Shafiroff prend aussi la peine de noter les noms; il note le nom de la secrétaire de ses clients. Lorsqu'il téléphone ensuite, il peut l'appeler par son nom. Cela peut sembler dérisoire mais Martin pense que c'est important, car c'est la secrétaire qui filtre les appels de son patron.

Bien qu'IBM soit considérée par tous comme une entreprise très importante, Buck Rodgers souligne que les vendeurs se préoccupent de tous les petits détails. «Par exemple, il est important qu'ils arrivent à l'heure aux réunions, qu'ils envoient les brochures qu'on leur demande ou qu'ils fournissent les renseignements requis. Il faut que les vendeurs donnent aux clients ce qu'ils demandent. Il ne faut pas non plus qu'ils négligent de retourner les appels. Ce sont ces petites choses qui éveillent la confiance du client.»

Les petites choses! J'irais bien jusqu'à dire que ces dix personnes ne négligent aucun des détails de la vente. Comme on le dit dans le monde artistique: *Le spectacle est au point.* Après avoir quitté chacune de ces personnes, je pouvais la décrire ainsi: «Il (ou elle) connaît vraiment son affaire. C'est un véritable professionnel!» Et je suis persuadé que le véritable professionnel ne néglige aucun détail. Et c'est particulièrement vrai pour les leaders. La concurrence est trop forte, il faut faire un effort supplémentaire pour être le premier!

S'il existait des faiblesses chez ces vendeurs, je ne les ai pas remarquées. Tous étaient très forts dans tous les domaines de la vente. Ce n'est pas comme ceux qui sont très forts dans un domaine, compensant ainsi pour les domaines où ils sont faibles. Tous travaillaient à la perfection; ils n'ignorent rien de la vente et chaque geste a sa raison d'être. Ce n'est pas par hasard qu'ils vendent comme ils le font. Et chaque fois qu'ils négocient une vente, ils recherchent l'excellence. C'est une question d'orgueil.

Les dix plus grands vendeurs est un recueil de pensées et de techniques de vente qui illustre comment les vendeurs les plus talentueux des États-Unis obtiennent des résultats. Cela donne la chance au lecteur d'apprendre à partir de ce qu'il y a de mieux. Cela lui transmet les idées de ces personnalités extraordinaires de la vente qui travaillent dans diverses industries. Et j'insiste encore sur le fait que l'on peut apprendre énormément des techniques de vente utilisées par d'autres, dans des domaines différents du nôtre.

J'ai finalement terminé ces dix interviews et en plus de me demander qui étaient ces dix grands vendeurs, les gens voulaient savoir lequel je préférais et lequel était le plus grand. Comment comparer une représentante Amway à un président d'une compagnie de télécâble, un courtier en valeurs à un vendeur d'automobiles ou un président d'aciérie à un président de compagnie de photocopieuses?

Franchement, je ne crois pas pouvoir déterminer qui est le meilleur. Cela me rappelle la réponse de Napoléon à madame Montholon qui lui demandait laquelle de ses troupes était la meilleure. «Celle qui remporte la victoire, Madame», lui avait-il répondu.

Les dix plus grands vendeurs sont tous victorieux!

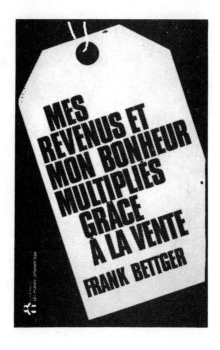

Dans cet ouvrage, Frank Bettger vous enseigne les secrets et techniques personnelles de réussite qu'il a développées au cours des ans. Il vous révèle le plus grand secret pour conclure une vente... comment solutionner le problème le plus épineux de la vente... quelles questions magiques transformeront un client éventuel sceptique en un client enthousiaste...

Ce livre dévoile la science de la vente telle que la conçoit Bettger. Ses principes et techniques l'ont aidé à multiplier ses revenus et son bonheur! Vous aussi obtiendrez de tels résultats!

En vente chez votre libraire ou à la maison d'édition:

Les éditions Un monde différent ltée
3400, boulevard Losch, Local 8
Saint-Hubert, QC
Canada   J3Y 5T6

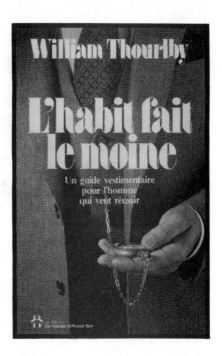

Un guide vestimentaire
pour l'homme qui veut réussir

Manquez-vous des chances de succès à cause de votre apparence? L'aspect d'un homme d'affaires prospère est une association de plusieurs éléments et peut-être qu'une seule facette de votre façon de vous vêtir vous empêche d'atteindre vos buts. La tenue vestimentaire d'un homme est comparable à une peinture à l'huile. Un seul élément déplacé, tel une cravate de tricot sur une chemise à rayures foncées, peut dévaluer ou détruire ce qui aurait pu être un chef-d'oeuvre.

Thourlby décrit la garde-robe complète d'un homme d'affaires dans des proportions raisonnables et abordables en évitant d'élaborer sur chaque article vestimentaire à sélectionner selon chaque occasion. Les complets, les chemises, les chaussures, les cravates, leur couleur et leur matériel, leur ajustement, leur prix et leur qualité, voilà ce qui l'intéresse. Ce guide, écrit avec intelligence, honnêteté et perspicacité, est indispensable à tout homme d'affaires désireux de présenter une fraîche image de bon goût traditionnel.

En vente chez votre libraire ou à la maison d'édition:

Les éditions Un monde différent ltée
3400, boulevard Losch, Local 8
Saint-Hubert, QC
Canada   J3Y 5T6

Joe Gandolfo

LA VENTE: UNE EXCELLENTE FAÇON DE S'ENRICHIR

Avec la collaboration de Robert L. Shook, auteur de
Les dix plus grands vendeurs

Les éditions
Un monde différent ltée

Dans un domaine où l'on fait tant de cérémonies autour de l'agent qui vend pour un million de dollars d'assurance-vie dans l'année, la production de Joe Gandolfo dépasse quant à elle le volume annuel des ventes de la plupart des compagnies d'assurance. En 1976, on le citait même dans le *Livre des records Guinness* pour ses ventes d'un milliard de dollars au cours de cette seule année!

Ce livre s'adresse d'abord à l'ambitieux qui désire établir des records dans sa compagnie. Et même si vous avez lu nombre d'ouvrages sur l'art de la vente, vous serez surpris de voir à quel point la philosophie et les techniques de Joe Gandolfo sont à la fois uniques et peu orthodoxes.

Et quoi que vous vendiez, soyez persuadé que si vous le faites *à la Gandolfo*, votre rendement ne saura faire autrement que de s'améliorer.

En vente chez votre libraire ou à la maison d'édition:

Les éditions Un monde différent ltée
3400 Boul. Losch, Local 8
Saint-Hubert, Québec, Canada
J3Y 5T6

Comment aimeriez-vous posséder une fortune de milliers, peut-être même de centaines de milliers de dollars, et un revenu assez élevé pour que votre revenu actuel vous paraisse comparativement négligeable? «Croyez-le ou non, cela vous est possible», dit Hal D. Steward, en utilisant les secrets des investisseurs bien informés que vous allez bientôt découvrir! Des secrets qui vous assurent une réussite rapide et facile et, dans bien des cas, presque sans effort!

«Avec la lecture de ce livre et un peu d'ambition, toute personne, même sans études secondaires, peut réaliser une fortune qu'elle n'aurait jamais osé espérer autrement!», dit Hal D. Steward.

En vente chez votre libraire ou à la maison d'édition:

Les éditions Un monde différent ltée
3400, boulevard Losch, Local 8
Saint-Hubert, QC
Canada   J3Y 5T6

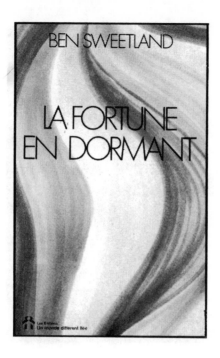

Préparez-vous à vivre une expérience merveilleuse!

Ce livre vous démontre comment utiliser vos pensées les plus profondes durant votre sommeil afin de réaliser tous vos rêves... argent, influence personnelle, amour, respect et admiration.

À volonté, vous pourrez diriger votre Esprit créateur pour vous aider à résoudre vos problèmes... à prendre de bonnes décisions... à créer des moyens d'atteindre des niveaux d'accomplissements inespérés... du jour au lendemain! Grâce à cette technique vous pouvez vous endormir sur vos problèmes et vous réveiller le matin avec des solutions tellement précises que vous en serez étonné.

Observez les gens autour de vous et vous réaliserez que bien peu d'entre eux savent vraiment ce qu'ils veulent dans la vie. Ils ne peuvent pas discerner ce qui est bon ou mauvais pour eux parce qu'ils n'ont pas de buts précis dans la vie.

En vente chez votre libraire ou à la maison d'édition:

Les éditions Un monde différent ltée
3400, boulevard Losch, Local 8
Saint-Hubert, QC
Canada   J3Y 5T6

MON LIVRE, c'est celui que j'écris… avec mes pensées, mes souvenirs et mes projets, mes recettes, mes croquis et mes poèmes, mes trouvailles, mes voyages et mes sorties.

C'est aussi le livre d'or de mes réceptions, le livre de bord de mon amour, le recueil des bons mots de mes enfants, l'agenda de mes journées, le journal de ma vie intérieure. C'est un cadeau que j'offre, avec ou sans raison.

MON LIVRE, j'en suis l'auteur et l'artisan. C'est mon chef-d'oeuvre. C'est mon reflet.

En vente chez votre libraire ou à la maison d'édition:

Les éditions Un monde différent ltée
3400, boulevard Losch, Local 8
Saint-Hubert, QC
Canada   J3Y 5T6

Ce livre contient de la dynamite! Il vous démontre comment quelques actions très simples, que vous aurez accomplies pendant une période de 10 jours, peuvent vous conduire vers une vie tout à fait exceptionnelle. Ces actions déclencheront des forces insoupçonnées à l'intérieur de vous, des forces nécessaires à une vie épanouie.

Le programme d'actions qui vous y est proposé peut transformer toute vie à une vitesse incroyable et vous remettra les plus grandes récompenses au monde: le bonheur, la réussite et l'épanouissement de vous-même.

En vente chez votre libraire ou à la maison d'édition:

Les éditions Un monde différent ltée
3400, boulevard Losch, Local 8
Saint-Hubert, QC
Canada   J3Y 5T6

Achevé   Imprimerie
d'imprimer Gagné Ltée
au Canada Louiseville